Caroline Links
Jenseits der Stille

CAROLINE LINK, 1964 in Bad Nauheim geboren, studierte an der Münchner Hochschule für Fernsehen und Film (HFF). Zuvor war sie langjährig als Skript- und Regieassistentin bei diversen Fernseh- und Filmprojekten tätig. Ihr HFF-Abschlußfilm *Sommertage* wurde 1990 bei den Hofer Filmtagen mit dem Kodak-Förderpreis ausgezeichnet. Ihr Film »Jenseits der Stille« wurde ausgezeichnet mit dem Bundesfilmpreis (Bester Film: Filmband in Silber; Beste Hauptdarstellerin: Sylvie Testud; Beste Musik: Niki Reiser), dem Bayerischen Filmpreis, dem Deutschen Filmpreis und dem Deutschen Videopreis. Er wurde 1998 für den Oscar nominiert.

2003 gewann ihr Film »Nirgendwo in Afrika« den Oscar für den besten nicht-englischsprachigen Film.

Mit ihrem außergewöhnlichen Filmdebüt *Jenseits der Stille* besetzte die Filmemacherin Caroline Link neues Terrain in der deutschen Kinolandschaft. In starken Bildern und leisen Tönen erzählt nun ihr Roman die Geschichte Laras, die seit früher Kindheit zwischen ihren gehörlosen Eltern und der Umwelt dolmetschen mußte. Es ist die Geschichte einer schwierigen Abnabelung von der Welt der Eltern und der Kindheit, in der die Autorin auch den tragischen und komischen Seiten des Lebens und den Gefühlsmomenten eines Wimpernschlags ihren Raum läßt.

Caroline Links
Jenseits der Stille

Arno Meyer zu Küingdorf
nach dem Drehbuch
von Caroline Link

aufbau taschenbuch

Mit 14 Szenenfotos von Walter Wehner

ISBN 978-3-7466-1453-3

Aufbau Taschenbuch ist eine Marke der Aufbau Verlag GmbH & Co. KG

11. Auflage 2009
© Aufbau Verlag GmbH & Co. KG, Berlin
© Aufbau Taschenbuch Verlag GmbH, Berlin 1997
Eine Produktion von CLAUSSEN+WÖBKE FILMPRODUKTION
und ROXY FILM –Luggi Waldleitner im Verleih der
Buena Vista International (Germany) GmbH
Umschlag- und Innenfotos © CLAUSSEN+WÖBKE/ROXY FILM
Umschlaggestaltung Preuße & Hülpüsch Grafik Design
unter Verwendung eines Plakatmotivs
von Buena Vista International/KOLLE REBBE Werbeagentur
Reproduktion LVD GmbH, Berlin
Druck und Binden CPI – Clausen & Bosse, Leck
Printed in Germany

www.aufbau-verlag.de

Jenseits der Stille

Ein Film von Caroline Link

Darsteller

Lara Sylvie Testud
Martin Howie Seago
Kai Emmanuelle Laborit
Clarissa Sibylle Canonica
Gregor Matthias Habich
Tom Hansa Czypionka
Lara als Kind Tatjana Trieb

Stab

PRODUKTIONSLEITUNG Claudia Loewe • HERSTELLUNGS-
LEITUNG Uli Putz • KOSTÜMBILD Katharina von Martius•
MASKE Heidi Moser-Neumayr • TON Andreas Wölki •
MUSIK Niki Reiser • SCHNITT Patricia Rommel • SZENEN-
BILD Susann Bieling • KAMERA Gernot Roll •
DREHBUCH Caroline Link, Beth Serlin • PRODUZENTEN
Thomas Wöbke, Jakob Claussen, Luggi Waldleitner •
REGIE Caroline Link

Eine Poduktion von CLAUSSEN+WÖBKE FILMPRODUK-
TION und ROXY FILM –Luggi Waldleitner, co-produziert von
Bayerischer Rundfunk, Süddeutscher Rundfunk, ARTE,
Schweizer Fernsehen DRS. Gefördert von FilmFernsehFonds
Bayern, Filmboard Berlin-Brandenburg und dem Bundesministe-
rium des Innern

Die Original-Filmmusik ist im Handel erhältlich *Virgin*

Prolog

Schon früh mußte ich ein großes Mädchen sein. Ich mußte über Dinge reden, die ich nicht verstand, und ich hatte mit Problemen zu kämpfen, die gleichaltrigen Mädchen fremd waren. Ich habe mich immer bemüht, meine Eltern zu verstehen, doch wenn ich nun zurückblicke, so muß ich zugeben, daß wir auch große Schwierigkeiten miteinander hatten.

Als ich älter wurde, fiel es mir oft nicht leicht, meinen Vater zu verstehen. Ich hätte mir in manchen Situationen mehr Mitgefühl von ihm gewünscht. Ich wußte, daß er es nicht einfach hatte, aber sollte ich seinetwegen immer mit einem schlechten Gewissen herumlaufen?

Es war nicht meine Schuld, daß die Dinge waren, wie sie waren. Es war natürlich auch nicht die Schuld meines Vaters oder meiner Mutter, es war Schicksal. Erst nach und nach begriff ich, mit welchen Schwierigkeiten meine Eltern kämpfen mußten. Von da an sah ich auch das Kind in ihnen und verstand ihre Probleme zusehends besser. Ich glaube, Tante Clarissa sagte einmal, das Leben sei ein langes Gespräch. Und ich glaube, sie hat recht. Es ist sehr wichtig, mit dem anderen zu reden, auch wenn es einem noch so schwerfällt und man sich noch so sehr gestritten hat.

Als heranwachsendes Mädchen konnte ich sehr wenig von

meinen Erlebnissen und Gefühlen mit meinem Vater teilen. Er kam mir alt vor, wie versteinert. Jetzt aber, nur ein paar Jahre später, kann ich sagen, daß wir beide voneinander viel gelernt haben, und ich entdecke immer wieder neue, überraschende Seiten an ihm.

Ich bin nun Anfang zwanzig. Inzwischen versucht mein Vater, meine Wünsche und Ziele anzunehmen, und ich bin glücklich und froh darüber – denn in den Momenten, in denen es keine Verbindung zwischen unseren Welten gab und jeder meinte, seinen Kopf durchsetzen zu müssen, fühlten wir uns beide furchtbar allein.

1. Kapitel

Aber ich will nicht vorgreifen, sondern zunächst von meiner Kindheit erzählen. Ich heiße Lara Bischoff. Als ich acht Jahre alt war, hatte ich lange blonde Haare, die Haselnußaugen meiner Mutter und die stolze Nase meines Vaters. In meinem Kinderzimmer fühlte ich mich zu Hause. Ich hatte viele Puppen und ein weißes, leicht ramponiertes Lamm, das ich besonders liebte. Wir wohnten in einem gelben Haus, das gleich neben hohen Hopfenfeldern in der Nähe der Stadt Mainburg lag. Das Haus hatte uns Großvater zu meiner Geburt geschenkt, als vorgezogenes Erbe sozusagen – Großvater war reich. Ich schlief im Erdgeschoß, Papa und Mama oben. Angst hatte ich nicht, ich wußte sie in meiner Nähe.

Bevor ich einschlief, lag ich oft wach und lauschte den Geräuschen unseres Hauses. Ein Wasserhahn im Bad tropfte, die Waschmaschine rumpelte gehorsam vor sich hin, die Treppe knarrte leise, sobald jemand sie betrat, und wenn der Wind wehte, hörte ich draußen die Bäume miteinander sprechen. Selten war es vollkommen still. Das Leben um mich herum verhielt sich nie geräuschlos. Und wenn alles um mich schwieg, dann hörte ich meinen eigenen Atem, das Rascheln meines Pyjamas auf der Bettdecke, oder mein Herz klopfte in meinen Ohren. Ich registrierte alles sehr genau, was um mich herum passierte. Ich war kein kleines Kind mehr, sondern ein sehr selbständiges Mädchen, dessen Neugier unersättlich war.

Eines Nachts weckte mich ein dumpfes Grollen und ließ mich hochfahren. Ich sah aus dem Fenster. Schwarze, geballte Wolken hatten den Mond und die Sterne verschluckt. Ein schwacher Blitz durchzuckte die Nacht. Ich kroch zurück ins Bett und zog mir die Decke über den Kopf in der Hoffnung, das Gewitter würde an unserem Haus vorbeiziehen. Doch ich hatte mich getäuscht. Es kam genau auf uns zu. Das Grollen des Donners wurde lauter, es hörte sich an, als ob ein großer Mann im Himmel wütend mit seiner Faust gegen eine alte Holztür geschlagen hätte. Ich bekam Angst. Ich lugte unter meiner Bettdecke hervor. Ein Blitz schoß durch die Nacht, tauchte sie in gleißendes Licht, das in mein Zimmer schwappte. Lange Schatten fielen über mich her. Sie krochen durch mein Zimmer, über mein Bett. Der Baum vor meinem Fenster streckte seine Äste nach mir aus. Wieder schlug der Mann im Himmel gegen die ächzende Pforte. Das Fenster in meinem Zimmer klirrte. Ich wollte tapfer sein, doch nach dem nächsten Blitz, dessen kaltes Licht mein Reich in ein Geisterhaus verwandelte, hielt ich es nicht mehr aus.

Ich sprang aus dem Bett und rannte mit meinem Lamm unter dem Arm durch unseren Flur, die Treppe hinauf und schlüpfte in das Schlafzimmer meiner Eltern. Sie schliefen tief, obwohl draußen die Erde unterzugehen schien. Mein Vater Martin lag auf der rechten Seite und meine Mutter Kai auf der linken. Ich rüttelte meinen Vater an der Schulter, bis er wach wurde. Er knipste seine Nachttischlampe an, und ich sah seinen verständnislosen Blick.

Dies war einer der Momente, in denen mir klar wurde, wie schwer es für uns war, einander zu verstehen. Ich befürchtete, daß unser aller Ende gekommen schien, und er lag ruhig in seinem Bett. Ich erklärte ihm in schnellen Gesten, was draußen los war. Ich beschrieb ihm mit meinen kleinen Händen das furchtbare Gewitter, den Mann, der mit seiner Faust an die Pforte schlägt, das unheimliche Licht der Blitze. Langsam verstand er, daß draußen der Teufel los war; er zog mich mit seinen wunderbaren großen Händen ins Bett.

Meine Eltern hatten von all dem Tosen vor unserer Tür nichts gehört. Nicht, weil sie nicht wollten, sondern weil sie nicht konnten.

Sie waren beide taub, gehörlos.

Ich lag zwischen meinen Eltern, meine Angst war fast verflogen. Ich fühlte mich sicher und geborgen. Wir redeten noch ein bißchen miteinander in dieser Sprache, die es Menschen wie meinen gehörlosen Eltern ermöglicht, mit den Händen alles, was sie denken und fühlen, auszudrücken. Vater sagte mir, wie wichtig ich für sie sei, denn durch mich würden sie hören – ich war stolz darauf, daß ich ihre Verbindung zur Welt der Hörenden war. Das Donnern hatte ein wenig nachgelassen.

Mein Vater war müde. Er hatte wieder einen anstrengenden Tag in seiner Druckerei gehabt. Ich verbannte das Gewitter aus meinen Gedanken und gab mich diesem liebevollen, brummenden Geräusch hin, das tief aus der Brust meines Vaters kam.

Es war mir so vertraut, daß mich der Schlaf übermannte.

Mit acht Jahren beginnt man seine Eigenständigkeit zu entdecken und zu erproben. Ich konnte schon ein paar Gerichte kochen, ich wußte, wie man das Telefon bedient, wie man die

Waschmaschine anstellt, wo Mama die Schokolade versteckte, und die Kleider, die ich tragen wollte, suchte ich mir selbst aus.

In bestimmten Punkten wußte ich mehr über meine Eltern als andere Kinder. Ich war ihre Dolmetscherin, ihre Sprache und ihr Gehör. Es ist schwer oder sogar unmöglich, sich vorzustellen, was es bedeutet, nicht zu hören: kein Gefühl für die eigene Lautstärke entwickeln zu können, keinen Unterschied zwischen Stille und Ruhe zu empfinden, keine Kontrolle über die Stimme, die Sprache zu haben. Nicht hören zu können ist keine Behinderung auf den ersten Blick, und doch ist ein Gehörloser in vielen Situationen auf seine Mitmenschen angewiesen. Es ist eine Schranke, die zwischen zwei Menschen steht. Ebensosehr wie der Mensch Essen und Trinken braucht, braucht er auch die Kommunikation, den Austausch mit anderen.

Geräusche waren für mich nie einfach nur Geräusche. Ich übersetzte sie in Bilder. Wenn es stürmte, dann sprachen die Bäume miteinander, hantierte Mutter mit einem Küchenmixer, so gruben Männer einen Tunnel unter unserem Haus, holte Papa seinen Bohrer heraus, so glaubte ich Flugzeuge starten zu hören. Papa produzierte eine Menge Lärm, ohne es zu wissen.

Er hatte zum Beispiel die Angewohnheit, beim Essen zu schlürfen, besonders beim Frühstück, wenn er Cornflakes aß. Es war meine Aufgabe, ihm zu sagen, wenn er zuviel Lärm machte. Ich erklärte ihm dann immer, daß er wie ein Fisch klänge, der durchs Wasser schlabbert, während er mich verdutzt aus seinen kleinen Augen ansah und vorgab, mich nicht zu verstehen.

Mama und Papa waren sehr unterschiedlich. Solange ich denken kann, trug mein Vater einen rotblonden Vollbart, der ihm gut stand. Ich habe ihn mehrmals gebeten, ihn doch abzunehmen, aber er wollte sich nicht von ihm trennen. Mein Vater war eher streng, in sich gekehrt, verschlossen, obwohl auch er fröhlich sein konnte und einen besonderen Humor hatte, vor allem, wenn er mit mir spielte. Ein spezielles Vergnügen waren unsere Pantomimen, bei denen ich ihm das Geräusch fallender Blätter oder das Gurgeln des Wassers zu erklären versuchte.

Meine Mutter war lebhaft und temperamentvoll, sie lachte gerne, und man sah ihr immer sofort an, wie es ihr ging. Wenn sie einmal traurig war, hielt das nie lange an.

Obwohl meine Eltern nur über die Zeichensprache miteinander kommunizierten, verlief auch das nicht in aller Stille. Die Gebärdensprache ist sehr lebhaft, man klopft sich auf die Brust, schlägt die Hände zusammen oder streicht sich über den Ärmel. Selten stritten sie, und wenn, dann hörte ich, wie ihre Hände heftig aneinander klatschten.

Am Morgen nach dem schrecklichen Gewitter rief meine Großmutter an. Wir saßen in der Küche beim Frühstück. Meine Mutter hatte ihren Bademantel angezogen, sie war schwanger. Sobald mein Vater und ich das Haus zur Arbeit und zur Schule verließen, legte sie sich wieder hin. Ich hielt oft meinen Kopf an ihren prallen Bauch, und dann konnte ich das kleine Kind hören und fühlen, wie es mit den Füßen strampelte. Jetzt stand meine Mutter hinter mir, und ich genoß es, wie sie mir liebevoll die Haare bürstete.

Ich sprang auf, als die bunte Signallampe neben der Küchentür aufgeregt flackerte. Diese Lichter hatten wir überall in unserem Haus installiert, nur auf der Toilette nicht, denn dort sollte man, wie mein Vater meinte, seine Ruhe haben. Ich redete mit Oma über ihre Rosengestecke, die wieder vertrocknet waren, und ich mußte mich bemühen, ernst zu bleiben, denn Papa grinste, und Mama meinte, Oma solle Aspirin ins Blumenwasser tun.

Eltern können manchmal nützlich sein!

Großmutter lud uns zum Weihnachtsfest ein. Wie sollte ich darauf reagieren? Vater hatte keine Lust, mit seiner Mutter zu sprechen, und ich glaube, der Gedanke, Weihnachten bei ihr zu verbringen, stimmte ihn nicht gerade froh. Ich dagegen liebte die Feste bei meiner Großmutter. Also sagte ich einfach zu, ohne meine Eltern vorher zu fragen. Da ich in die Schule mußte, gab ich den Hörer meiner Mutter. Sie konnte natürlich nicht direkt mit meiner Oma sprechen, aber neben unserem Telefon stand ein Schreibtelefon mit einem Monitor, das wie eine Schreibmaschine aussah. Meine Mutter gab das, was sie sagen wollte, auf der Tastatur ein, und auf dem kleinen Bildschirm erschien nach kurzer Zeit die getippte Antwort meiner Großmutter. Früher gab es solche Geräte nicht. Sie waren eine große Erleichterung für meine Eltern. Meine Großmutter, die ja nach meiner Zusage von unserem Besuch ausging, besprach mit meiner davon überraschten Mutter die Weihnachtsvorbereitungen.

Mein Vater war ein ausgesprochen geschickter Mann. Wir hatten an unserem Haus eine kleine Werkstatt, einen flachen Anbau mit einem vielfach unterteilten Fenster, an dem sich im Winter kleine Eisblumen bildeten. Ich war gern in Vaters Werkstatt. Wenn es seine Arbeit nicht allzusehr störte, saß ich auf seiner Werkbank und schaute ihm zu, oder ich beschäftigte mich an einem großen Tisch mit meinen Schularbeiten.

Ging etwas im Haushalt kaputt, so nahm er es in seine großen Hände, besah es sich genau mit seinen braunen

Augen, drehte und wendete es und machte sich dann langsam und geduldig ans Werk. Zum Beispiel produzierte unser Toaster schwarze Scheiben, und mein Vater gab keine Ruhe, bis er ihn repariert hatte. Er vertiefte sich ganz in seine Arbeit, und ich glaube, daß er dann glücklich war. Er ging den Dingen auf den Grund. Er war ein altmodischer Mensch, er warf ungern etwas in den Müll, das man noch reparieren konnte, und selbst an einem Radio, das er nie würde hören können, bastelte er so lange herum, bis es wieder seinen Dienst tat. Ich half ihm bei der genauen Einstellung, indem ich ihm sagte, wann es am besten klang, aber sicherlich hätte er es auch ohne meine Hilfe geschafft, denn er hatte ein außerordentliches Gespür für feinste Vibrationen jeder Art.

Er hatte keine einfache Kindheit. In seiner Familie war er der einzige, der nicht hören konnte. Seine Eltern haben die Gehörlosigkeit ihres Sohnes lange Zeit nicht wahrhaben wollen. Damals hielt man die Gebärdensprache für etwas, das eher zu einem Clown gehörte. Kinder, die nicht hören konnten, wurden gezwungen, sich der Welt der Hörenden anzupassen. Mein Vater sollte sprechen lernen, was ein äußerst mühseliges und kaum von Erfolg gekröntes Unterfangen war. Seine Eltern lehnten es ab, mit den Händen mit ihm zu reden, und so zog er sich immer mehr in seine eigene Welt zurück. Nachdem er die Gebärdensprache gelernt hatte, war niemand von der Familie in der Lage, mit ihm zu kommunizieren. Erst als seine Schwester auf die Welt kam, brachte er ihr heimlich ein paar Gesten bei. Seine Ohnmacht, sich mitteilen zu können, ließ ihn manchmal aufsässig werden, doch damit stieß er bei seinem Vater auf Unverständnis. Oft wurde er daraufhin in sein Zimmer verbannt, weil er sich angeblich nicht zu benehmen wußte. Dabei wollte er nur etwas Aufmerksamkeit und Zuneigung erfahren. Am schlimmsten war es für ihn, seinen

Vater mit seiner Schwester Clarissa musizieren zu sehen. Er lebte in einer fremden Welt, und niemand nahm Kontakt zu ihm auf.

Meine Mutter hatte ihr Gehör mit einem Jahr verloren. Eine spinale Meningitis schien bereits überwunden, als es zu einem Rückfall kam. Nach einem hohen Fieberanfall konnte sie nicht mehr hören.

Sie war attraktiv mit ihren langen braunen Haaren, und sie verlor nie ihre mädchenhafte Figur. Meine Mutter war eine schlanke, zierliche Frau und zog sich oft wie ein junges Mädchen an. Wenn ich sie mit den Müttern meiner Mitschüler verglich, dann war ich stolz auf sie.

Ihre große Liebe galt den Pflanzen, die überall in unserem Haus standen. Kai verwendete viel Zeit darauf, sie zu pflegen und zu arrangieren. Sie konnte zwar nicht, wie andere, mit ihren Pflanzen sprechen, doch auf ihre Weise hatte sie einen sehr intensiven Umgang mit ihnen. Sie wußte immer genau, was einer Pflanze fehlte. Meine Mutter sammelte viele Dinge: nicht nur Pflanzen, auch alte Flaschen, Bilder und vieles mehr. Jeder Gegenstand hatte für sie eine Bedeutung und fand eines Tages Verwendung. Kai hatte große Hemmungen, mit hörenden Menschen zu kommunizieren. Nur in der Gebärdensprache fühlte sie sich zu Hause, in der Schriftsprache war sie unsicher. Mußte sie zum Beispiel einen Brief schreiben, dann bat sie mich, ihn aufzusetzen, während sie mir in Gebärdensprache erklärte, was ich notieren sollte. Mutter wirkte immer unschuldig. Erst später begriff ich, daß sie sich mit dieser Ausstrahlung vor ihrer Umwelt schützte. Sie sprach nie darüber, was sie erlitten hatte, sondern genoß ihr zurückgezogenes Leben in unserem Haus. Meine Mutter hatte ein ausgesprochen sonniges Gemüt und ein sehr großes Herz.

Sie nahm die Dinge gern auf die leichte Schulter, lachte gern, und sie mochte es überhaupt nicht, wenn Vater brummig und kurz angebunden war. Sie schimpfte selten mit mir. Ich glaube, ich habe ihr dazu auch selten Anlaß gegeben. Zunehmend fühlte ich mich wie ihre Schwester.

Bei uns herrschte stets ein liebevolles Chaos. Die Fenster waren in der Weihnachtszeit mit selbstgebastelten Stroh- und Papiersternen dekoriert, und im Wohnzimmer stand eine große Krippe mit vielen Figuren, die mein Vater geschnitzt hatte. Meine Mutter hatte ihnen die passenden Kleider genäht und sie mit Haaren ausgestattet. Sogar einige mit echten Fellstückchen beklebte Tiere gab es. Auf den Fensterbänken tummelten sich leere Flaschen, kleine Figuren, Knetmännchen, Gläser mit Kräutern.

Meine Mutter lebte mit meinem Vater in einer stummen Welt. Vielleicht erklärt das ihre Art, Probleme an sich abgleiten zu lassen, was ich bewunderte. Es kam ihr auch nicht so sehr darauf an, was ein Mensch konnte, was er war oder lernte. Sie interessierte die Seele eines Menschen.

Für ihr Leben gern sah sie romantische Liebesfilme im Fernsehen. Das lief nach immer dem gleichen Ritual ab. Mama lag auf der Couch, eine Hand in der Chipstüte. Ich saß auf dem Boden vor dem Fernseher und übersetzte ihr, was ich hörte. Ihre Augen wanderten zwischen meinen Händen und dem Bild hin und her. Sie bekam einen sehnsüchtigen Blick und vergaß alles um sich herum. Auch mich – diese Filme kamen oft ziemlich spät, und mehr als einmal bin ich während meiner Übersetzerei eingeschlafen.

2. Kapitel

Ich hatte nie das Gefühl, wir seien arm. Wir wohnten in einem einfachen, schönen Haus, umgeben von einem Garten, fuhren ein altes Auto, und in meinem Kinderzimmer durfte ich regieren. Deshalb verstand ich nicht, warum mein Vater oft ungeduldig wurde, wenn ich träumend und staunend vor dem Schaufenster eines Spielzeugladens stand. Früher dachte ich, er wolle nur verheimlichen, daß wir nicht genug Geld hatten. Doch als ich größer wurde, begriff ich, daß es darum ging, seinen Willen gegen meinen starken Willen durchzusetzen. Dabei wollte ich einfach nur vor dem Laden stehen und schauen oder überlegen, was ich gerne hätte. Schließlich gibt es für ein achtjähriges Mädchen viele verlockende Dinge im Schaufenster zu betrachten. Aber vielleicht hat sich mein Vater doch geschämt, daß er seiner Tochter nicht das bieten konnte, was er ihr gern gegeben hätte.

Unangenehm war, daß mich Erwachsene oft benutzen wollten, um meinen Eltern unangenehme Nachrichten zu überbringen. So wurde ich schon früh mit Dingen konfrontiert, die ich nicht richtig verstand. Zum Beispiel konnte der Betrieb meines Vaters, eine Druckerei und Buchbinderei, seinen Angestellten wegen der wirtschaftlichen Lage und wegen der steigenden Papierpreise kein Weihnachtsgeld zahlen. Ein Arbeitskollege von Papa bat mich, ihm diese Nachricht mitzuteilen. Das wollte ich nicht. Ich forderte ihn auf, er solle es meinem Vater selbst sagen. Der Schwarze Peter war nun wieder bei ihm gelandet, und er sah unglücklich aus. Ich aber fand das gerecht. Warum sollte mein Vater seinen Ärger an mir auslassen?

Es gab aber auch komische Momente: Wir hatten einen netten Berater bei der Bank, der uns und unsere Situation kannte. Er wußte, daß ich, das achtjährige Mädchen, seine Ansprechpartnerin war. Wir saßen vor ihm, und er erläuterte uns die Situation.

»Nein, es tut mir leid. Vor dem 1. März kann ich gar nichts machen. Sagst du bitte deinen Eltern, daß sie sich nun mal auf ein halbes Jahr festgelegt haben und daß die Rendite erst dann fällig wird …«

Ich deutete meinen Eltern:

›Er kann nichts machen. Ihr habt für ein halbes Jahr unterschrieben, dann kriegt ihr die, die …‹

Er redete nicht sehr schnell, aber es war schwierig für mich, seine Worte zu verstehen und sie dann in die Gebärdensprache zu übersetzen.

»Was heißt Rindate, bitte?« fragte ich ihn.

Der Bankangestellte holte tief Luft.

»Rendite! Rendite heißt das, Lara. Das ist diese Prämie, die ihr zusätzlich zu den Zinsen bekommt. Im März!«

Ich verstand ihn nicht.

»Wie schreibt man Rendite?« fragte ich ihn.

Er buchstabierte es mir, und ich übersetzte es in Fingerbuchstaben.

Mein Vater wollte nun wissen:

›Frag ihn, was mit dem Geld ist, was wir schon eingezahlt haben, kann er uns davon nichts zurückgeben? Vorläufig. Wir brauchen jetzt Geld!‹

Was sollte ich tun? Ich war verzweifelt. Der Banker hatte uns doch gesagt, daß wir nicht an das Geld herankommen. Warum wollte mein Vater mich nicht verstehen? Merkten meine Eltern denn gar nicht, daß sie ihr Problem auf mich übertrugen und mich überforderten?

›Er hat doch schon gesagt, daß es nicht geht, Papa. Hör auf zu betteln!‹

Papa machte eine strenge Handbewegung, und mit einem strengen Blick versuchte er klarzustellen, wer das Sagen hat.

›Frag ihn!‹ beharrte er.

So wendete ich mich erneut dem Bankangestellten zu.

»Mein Vater bedankt sich. Er ist zufrieden mit ihrem Geschäft!« sagte ich schließlich.

»Das freut mich.« Der Berater nickte erleichtert.

›Er sagt ›Nein‹‹, deutete ich meinem Vater.

Mein Vater sah mich prüfend an. Natürlich wußte er, daß ich seine Frage nicht weitergegeben hatte. Lippenlesen ist zwar schwierig, aber er hatte unser Gespräch aufmerksam verfolgt. Ich sah zu Boden.

»Kann ich deinen Eltern noch irgendwie helfen?« Der Berater wurde ungeduldig.

»Nein, danke«, sagte ich.

Der Berater stand auf. Mein Vater warf mir einen bösen Blick zu. Was konnte ich dafür? Meine Mutter versuchte einzulenken.

›Laß uns gehen. Wenn Lara sagt, daß es nicht geht, dann geht es nicht …‹

Ich nickte kräftig. Der Berater wollte sich bei mir bedanken. Ich verwies ihn an meine Eltern, sie waren doch seine Kunden. Mein Vater war wütend.

›Du sollst verdammt noch mal übersetzen, was ich dir sage!‹

Ich nahm seine Hand und lächelte.

›Hab ich doch‹, deutete ich ihm. Für mich war die Sache erledigt. Ich wollte raus aus der Bank. In solche Situationen geriet ich immer wieder.

Ich mußte Worte, die ich nicht verstand, übersetzen, und natürlich unterliefen mir dabei immer wieder Fehler, und es kam zu Mißverständnissen. Dann half nur noch das Fingeralphabet oder ein Schulterzucken. Ich vergaß nie, daß ich ein Kind war. Es waren die Großen, die vergaßen, daß ich noch klein war. Schließlich war ich erst acht Jahre alt und nicht der liebe Gott.

Ich lernte aber auch schnell, daß ich Macht besaß über meine Eltern. Das Gefühl der Macht ist für kleine Mädchen, wie für jedermann, ein berauschendes Gefühl. Zwar war ich davon abhängig, daß sie für mich Mittagessen kochten oder einen Stuhl reparierten, dafür waren sie aber auch von dem abhängig, was ich übersetzte, und das entsprach nicht immer ganz der Wahrheit.

Ich denke, das Leben mit gehörlosen Eltern ist nicht vergleichbar mit dem in anderen Familien. Jedes Kind kennt das Gefühl der Ohnmacht gegenüber den Erwachsenen. Ich aber fühlte mich auf diesem Gebiet meinen Eltern ebenbürtig. Ich habe meine Machtposition als Dolmetscherin nur in besonders schwierigen Situationen ausgenutzt, und dann auch nur, um mich zu schützen oder um Dinge zu einem harmonischen Ende zu bringen.

Welches Kind geht schon gern in die Schule? Natürlich hatte ich meinen Spaß, aber ich langweilte mich häufig, und ich war, vielleicht wegen meiner Eltern, eine Außenseiterin. Außerdem war ich in der Schule nicht besonders gut. Vor allem das Lesen fiel mir schwer. Ich hatte niemanden, mit dem ich üben konnte. Viele Leute denken, für Gehörlose sei es leicht zu lesen, aber in Wahrheit ist es schwierig und mühevoll. Wie soll man lesen können, wenn man nicht sprechen kann? Das kleine Kind hört andere Menschen sprechen, so lernt es, abstrakte Worte und konkrete Gegenstände zusammenzubringen. Das Kind, das nicht hören kann, muß mit Augen, Blicken oder Händen kommunizieren. Die Gebärdensprache funktioniert nach anderen grammatikalischen Regeln als unsere Sprache.

Natürlich brachten mich Kai und Martin jeden Abend ins Bett, aber sie konnten mir nicht wie andere Eltern ein Märchen erzählen oder ein Schlaflied singen. Ich kann nicht einmal sagen, daß ich das vermißt habe, ich habe es ja nie anders kennengelernt. Wahrscheinlich hat vor allem meine Mutter zu meinen Lernschwierigkeiten beigetragen, weil sie die Schule nie besonders ernst genommen hat. Sie war eben ein spontaner Mensch, dem es mehr auf das Herz als auf intellektuelle Fähigkeiten ankam.

Eines Tages mußte ich aus dem Märchen *Das kalte Herz* vorlesen.

»Hier, dachte er … wird wohl der … Schatzhauser wohnen, zog … seinen Sonntagshut, mach … te vor dem … Baum … eine tiefe … Ver … beugung …«

Ich las so schlecht, daß die anderen Kinder in der Klasse zu kichern begannen. Ich wurde immer unsicherer, die Buchstaben vor meinen Augen verschwammen. Unsere Lehrerin, eine nette, aber bestimmte Frau mit einer großen Brille, unterbrach mich schließlich.

»Lara, das war die Hausaufgabe. Hast du nicht geübt?«
Ich blickte meine Lehrerin, Frau Mertens, stumm an.
Ein Junge aus unserer Klasse, Uli, beendete die Stille.
»Vielleicht hat sie's ihrem Papa vorgelesen … und der fand's klasse …«

Das war gemein. Ich haßte es, wenn ich wegen meiner Eltern aufgezogen wurde. Die Kinder in meiner Klasse meinten manchmal, es sei doch toll, wenn die Eltern nichts hörten, dann könne man den ganzen Tag lärmen und schreien, wie man wolle. Warum sollte ich lärmend und schreiend durchs Haus laufen? Ich warf Uli einen ärgerlichen Blick zu. ›Rache ist Blutwurst‹, dachte ich.

»Es hilft doch nichts, Lara. Lesen ist wichtig. Wenn du zu Hause nichts tust, mußt du nachmittags länger hierbleiben. Verstehst du?«

Natürlich verstand ich sie. Aber ich war ein Trotzkopf, und daß die anderen Kinder um mich herum tuschelten, machte mir die Situation nicht angenehmer. Uli fuhr fort und las ziemlich gut. Ich sah aus dem Fenster.

Sanft fielen die Schneeflocken zur Erde. Tante Clarissa hatte sich bei uns angemeldet, wir wollten in den nächsten Tagen eislaufen gehen. Sie konnte sehr gut Schlittschuh laufen. Sie schwebte förmlich über das Eis, anmutig drehte sie Kreisel um Kreisel, und ich sah ihr oft neidisch zu, weil es so einfach aussah, was sie machte. Wenn ich es auch ausprobieren wollte, fiel ich hin. Ich glaube, sie wußte, daß ich sie in diesen Momenten bewunderte. Ich wollte dann so sein wie sie, und das genoß sie.

Clarissa war die Schwester meines Vaters, sie konnte hören. Für mich verkörperte sie die große weite Welt. Sie wohnte in Berlin, kannte die allerneuesten Geschichten und war immer ausgesprochen elegant gekleidet, ganz im Gegensatz zu meiner Mutter, die am liebsten ihre selbstgestrickten Pullover anzog. Wenn Clarissa einen Pullover trug, dann nur mit dem passenden Schal und passenden Handschuhen und einem farblich darauf abgestimmten Lippenstift. Mein Blick schweifte über den Pausenhof. Ich stutzte.

Ich sah ein großes Mädchen mit einem roten Schal, roten Handschuhen und einer weißen Mütze, das eifrig und lebhaft gestikulierte: Es war meine Mutter. Unsere Lehrerin hatte zum Glück noch nichts bemerkt.

›Lara! Wie lange dauert das denn noch? Wir haben doch einen Termin!‹ signalisierte meine Mutter.

Das hatte mir gerade noch gefehlt. Ich deutete meiner Mutter, daß ich mich auf den Unterricht und auf das Lesen konzentrieren müßte. Aber Mutter blieb vollkommen unbeeindruckt und albern, sie verstand meine Schwierigkeiten nicht. Sie sah in die Klasse. Was wollte sie denn noch?

›Was ist denn?‹ deutete ich ihr.

›Ich warte‹, zeigte sie seelenruhig zurück.

›Worauf?‹

›Irgendwann wird deine Stunde ja mal zu Ende sein‹, schrieben ihre Hände fröhlich in die Luft.

Die ersten in der Klasse begannen zu kichern. Es kam, wie es kommen mußte. Frau Mertens wurde aufmerksam.

»Was gibt es denn da draußen so Interessantes?«

»Laras Mutter steht draußen. Die beiden haben sich unterhalten …«, petzte Bea, meine Banknachbarin.

Die ersten Kinder standen auf. Und was machte meine Mutter? Sie winkte den Kindern zu. Ich hätte im Boden versinken können.

»Was macht deine Mutter da, Lara?«

»Sie wartet auf mich«, brachte ich mühsam hervor.

Alle kicherten. Unsere Lehrerin seufzte.

»Schon wieder? Du kannst nicht immer früher aus dem Unterricht verschwinden, Lara. Das geht nicht.«

»Ja, ich weiß, aber der Termin …«

Unsere Lehrerin sah auf die Uhr, die über der Tafel hing. Ich fühlte mich unwohl.

»Dann lauf«, meinte sie schließlich, »aber sag deinen Eltern, daß ich sie heute nachmittag sprechen möchte.«

Oh, Gott, ich war erlöst. In Windeseile raffte ich meine Sachen zusammen. Die anderen Kinder beäugten mich neidisch. Sicher dachten sie wieder, wie praktisch es sei, taube Eltern zu haben. Ich gab meiner Mutter meine schlechte Laune zu verstehen, aber sie ertrug es gelassen.

›Du bist wirklich blöd. Wir hätten genausogut später gehen können.‹

›Dann hab ich im Garten zu tun‹, deutete sie mir lebhaft. Sie schien überhaupt kein schlechtes Gewissen zu haben.

›Weiß Papa, daß du mich deswegen aus der Schule holst?‹ regte ich mich auf.

Meine Mutter zuckte nur mit den Schultern.

›Das nächste Mal laß ich dich im Pausenhof warten, bis du schwarz bist‹, drohte ich ihr.

Sie beugte sich zu mir herunter. Ihre schönen braunen Augen waren ernst.

›Ich sag dir was. Du weißt schon mehr vom Leben als die ganzen anderen Gören in deiner Klasse zusammen. Mach die Augen auf. Das Leben ist die Schule, nicht umgekehrt.‹

Meine Mutter hatte gut reden. Wie sollte ich das meiner Lehrerin erklären?

Am Nachmittag gingen wir zu dritt in die Schule. Ich ahnte schon, wie die ganze Sache laufen würde. Ich saß neben unserer Lehrerin, und meine Eltern saßen uns gegenüber, und ich dolmetschte.

»Bitte verstehen Sie meine Besorgnis. Lara kann unmöglich versetzt werden, wenn sie im Lesen und Schreiben nicht besser wird. Außerdem kann sie nicht ständig früher aus dem Unterricht verschwinden.«

Da saß ich nun und sollte meinen Eltern diese unangenehme Botschaft übermitteln. Ich konnte es nicht. Wer liefert sich freiwillig seinem Henker aus?

›Mein Lesen wird langsam besser‹, übersetzte ich, ›aber es ist noch nicht ganz perfekt.‹

Meine Eltern nickten beide verständnisvoll. Meine Lehrerin schien sich nicht sicher, ob das, was sie gesagt hatte, richtig verstanden worden war. Mein Vater dankte ihr.

›Sag ihr, daß wir uns freuen, daß sie dich manchmal früher gehen läßt. Es ist schwer, hier auf dem Land einen guten Gebärdendolmetscher zu finden‹, deutete er in seiner ernsthaften Art.

»Bald sind Ferien, dann muß ich ja nicht mehr früher aus dem Unterricht …«, übersetzte ich meiner Lehrerin.

»Sag ihnen, daß das wirklich mein letztes Wort ist. Das nächste Mal laß ich dich einfach nicht mehr gehen«, erwiderte sie.

Meine Mutter strahlte.

›Sie sind eine wunderbare Lehrerin‹, antwortete sie mit ihren Händen, ›Lara mag Sie sehr.‹

»Meine Mutter findet Sie ganz nett«, sagte ich zu Frau Mertens. Es war wohl etwas übertrieben, daß ich meine Lehrerin ›sehr mochte‹.

Frau Mertens lächelte etwas hilflos in die Runde. Und was machte meine Mutter? Sie kramte in ihrer Tasche, holte einen Blumentopf mit einer Pflanze hervor und stellte ihn mit einer energischen Geste vor Frau Mertens. Dieser Blumentopf wirkte komisch auf dem ordentlichen Schreibtisch.

»Oh, wie hübsch«, bedankte sich Frau Mertens, »danke schön. Aber Lara, hast du deinen Eltern meine Bedenken auch wirklich deutlich gemacht?«

»Ich habe ihnen alles gesagt. Nicht Wort für Wort, aber so

ziemlich«, antwortete ich. Wir standen alle auf. Ich spürte Frau Mertens' Mißtrauen. Die Reaktionen meiner Eltern irritierten sie, aber was sollte sie tun? Und als meine Mutter sie schließlich noch umarmte und mit ihrem herzlichen Lächeln an sich drückte, da wußte sie weder ein noch aus.

Ich glaube, mit zwei Jahren verstand ich, daß ich mit meinen Eltern auf eine andere Art reden mußte als mit Fremden. Bald wurde ich die wichtigste Verbindung zur Außenwelt. Donnerte es oder näherte sich eine Sirene, schrie ich. Sie beobachteten mich und sahen an meinem Gesicht, ob jemand den Raum betreten hatte. Durch mich erfuhren sie aber auch ihre Begrenztheit deutlicher als zuvor. Die Verwandtschaft atmete auf, als sich herausstellte, daß ich nicht gehörlos war. Mehr als einmal wurde betont, wie glücklich sich meine Eltern schätzen könnten, eine gesunde Tochter zur Welt gebracht zu haben. Von mir erwartete man vor allem, »brav« zu sein. Das Schicksal meiner Eltern sei schwer genug, es liege an mir, ihnen etwas von ihrer Bürde von den Schultern zu nehmen. Die Rolle des »braven« Mädchens fiel mir mit den Jahren immer schwerer. Auch brauchte ich Auseinandersetzungen, um wachsen zu können, auch ich mußte mich reiben, Konflikte durchstehen. Wäre ich immer das »brave« Mädchen geblieben, hätte ich das nie geschafft.

3. Kapitel

Weihnachten stand vor der Tür. Ich freute mich. Es war sehr kalt und hatte geschneit, und wir fuhren zusammen mit unserem alten grünen Auto zu dem Gutshaus meiner Großeltern. Es lag auf einem Hügel am Rande einer Kleinstadt in einer wohlhabenden Gegend und war von einem großzügigen Garten umgeben. Vor der Tür stand ein riesiger Weihnachtsbaum, und als wir vor dem Haus hielten, strahlte uns warmes, weiches Licht aus den großen Fenstern entgegen.

Weihnachten, für Kinder ein magisches Wort.

Meine Eltern blieben noch für einen Moment im Wagen sitzen, während ich es nicht mehr abwarten konnte, meine Oma und meinen Opa zu sehen. Ich glaube, als sie dort im Auto vor der Tür saßen, waren sie einander sehr nahe und versicherten sich gegenseitig ihrer Liebe, denn für meinen Vater war es nicht einfach, mit seinem Vater zusammenzutreffen. Doch davon später mehr.

Das ganze Haus roch nach Weihnachten. Nach Mandelplätzchen, nach Kerzen aus echtem Bienenwachs, nach Tannenbaum und leckerem Essen. Zu einem meiner Lieblingsplätze hatte ich die Fensterbank in der Küche meiner Großmutter Lilli erkoren, unter der sich eine Heizung befand. Dort saß ich und sah Kai und Lilli beim Kochen zu. Auf meinem Arm saß das Kaninchen von Oma, und wir genossen beide unser Wiedersehen. Mama und Oma verstanden sich gut. Sie waren beide hervorragende Köchinnen, und oft war es Mama, die mit ihrem besonderen Geschmackssinn dem Essen den letzten Schliff gab. Ich versuchte, mich an Tante Clarissa zu erinnern.

»Ich weiß gar nicht mehr genau, wie sie aussieht. Aber ich weiß noch, wie sie riecht. Nach Maiglöckchen und Sommer«, sagte ich nachdenklich.

»Wer, Schatz?« fragte meine Großmutter.

»Na, Clarissa«, antwortete ich.

»Mein Gott, wann kommen die denn endlich?« Oma sah nervös auf ihre Uhr, während sie einen kontrollierenden Blick in die Bratröhre warf. »Robert ist bestimmt schon wieder auf 180.«

Robert war ihr Mann und mein Großvater. Zu mir war er nett, aber ich hatte schon des öfteren erlebt, wie er mit seinen scharfzüngigen Kommentaren Gespräche blitzschnell zum Erliegen brachte. Während ich mich mit Oma unterhielt, übersetzte ich einen großen Teil unseres Gesprächs für Mama, die sich am Herd zu schaffen machte. Diese Sprache war mir ins Blut übergegangen. Ich bemerkte es oft nicht mehr, daß ich meine Hände benutzte. Meine Großmutter sah mir aufmerksam zu.

»Ich beneide dich so, Engelchen. Du sprichst diese Zaubersprache, als wäre es ein Kinderspiel. Hätte ich nicht auf diesen Dickkopf gehört, könnten meine Hände jetzt vielleicht auch …«, sie machte eine Pause und suchte nach dem richtigen Wort, »… fliegen.«

Endlich klingelte es. Ich stürzte zur Tür und öffnete sie. Clarissa und Gregor, ihr Mann, waren endlich angekommen.

Sie hatten die Arme voller Geschenke. Clarissa sah schön aus, wie eine Eiskönigin. Ich war befangen, ich war überwältigt. Clarissa verkörperte für mich das Leben, sie war mein Idol.

»Frohe Weihnachten, ihr beiden«, begrüßte meine Oma sie, »schön, daß ihr da seid.«

Gregor war ein großer, kräftiger Mann, dem der Schalk stets im Nacken saß. Er zwinkerte mit den Augen.

»Ich bin nur wegen des Gänsebratens hier«, meinte er ernst, »es gibt doch Gänsebraten, oder?«

Lilli lachte. Clarissa drückte Gregor ihre Pakete in die Hand.

»Die kommen ins Wohnzimmer.«

»Ach, was? Ich dachte aufs Dach … oder … in den Garten?«

Er zog schwerbeladen mit den Geschenken von dannen. Clarissa streifte den dicken Bauch meiner Mutter mit einem kurzen Blick, bevor sie wieder fröhlich in die Runde lächelte und sich aus ihrem Mantel schälte. Sie sah noch schöner aus, als ich sie in Erinnerung hatte. Unter ihrem Mantel trug sie ein schwarzes, schlichtes Kleid, das ihr zartes, ausdrucksvolles Gesicht und ihre roten Haare, die sie zusammengebunden hatte, besonders betonte. Sie wandte sich an Lilli und senkte ihre Stimme ein wenig.

»Und, wie war's bis jetzt?«

»Friedlich, und ich würd mich freuen, wenn das so bleibt.«

»Klar. Ist ja schließlich Weihnachten«, meinte Clarissa mit einem ironischen Unterton, der darauf schließen ließ, daß es auch schon Weihnachtsfeste gegeben hatte, die nicht ganz friedlich verlaufen waren. Clarissa legte vorsichtig ihre Hand auf den Bauch meiner Mutter und fühlte nach dem Baby.

»Faszinierend … so prall.«

Sie schien wirklich beeindruckt. Für mich war das ein gewohnter Anblick. Mama ließ sie gewähren.

»Lara, erzählst du dem Baby auch ab und zu etwas? Stimmen und Geräusche sind nämlich sehr wichtig für ungeborene Kinder!«

»Ehrlich?« Das wußte ich noch nicht.

»Aber ja.«

Ich sah meiner Mutter an, daß sie wissen wollte, was Clarissa gesagt hatte, aber ich hatte keine Lust, das zu übersetzen.

Das war zwar nicht fair, ersparte mir und uns aber einige Diskussionen und unselige Zwischentöne.

Martin und Robert kamen in den Flur. Meinem Opa haftete immer etwas Lehrerhaftes, Strenges an. In seinen Augen war Unpünktlichkeit eine schlechte Charaktereigenschaft. Er fixierte sein Opfer dann mit seinen hellen blauen Augen und beobachtete jede seiner Regungen. So auch diesmal.

»Kannst du mir mal sagen, warum ihr so spät seid?« begrüßte er seine Tochter zum Heiligen Abend. Clarissa drehte sich kühl um und musterte ihren Vater mit einem lieblosen Blick.

»Frohe Weihnachten, Papa. In der Stadt war es ziemlich voll. Wir haben 40 Minuten gebraucht, allein bis zur Autobahn. Eigentlich furchtbar unpraktisch diese Feste, die alle gleichzeitig feiern …«

Es sollte nicht wie eine Entschuldigung klingen, war aber nichts anderes. Die Antwort ließ nicht auf sich warten.

»Muß ja eine Art Verschwörung sein. Immer wenn du dich auf Reisen machst, ist viel Verkehr. Vielleicht solltest du einfach mal rechtzeitig losfahren.«

»Es war wirklich viel Verkehr«, entschuldigte sich Clarissa noch mal.

Zum Glück unterbrach meine Oma die beiden Streithähne.

Wir saßen eine Weile im festlich geschmückten Wohnzimmer. Ich hielt das Warten auf die Bescherung nicht mehr aus. Endlich erlöste mich der als Weihnachtsmann verkleidete Gregor. Mit einem Knall flog die Wohnzimmertür auf, er humpelte hinein. Er hatte sich einen zerzausten Bart angeklebt, eine Pelzmütze krönte seinen Kopf, auf dem Rücken schleppte er einen großen Jutesack, und in der Hand hielt er einen dicken Knüppel. Gregor konnte sehr komisch sein. Er verstellte seine Stimme und stiefelte durch den Raum. Alle mußten lachen.

»Ist das eine Kälte draußen! Und ich habe meine Decke im Himmel vergessen. Zappalot, was sehe ich? Nichts als alte Leute ... gibt's denn keine Kinder in diesem Haus?«

Gregor schob einen Sessel beiseite und legte seinen großen Sack vor Clarissas Füße. Er küßte sie auf den Mund, nachdem er sich blitzschnell den Bart unters Kinn gezogen hatte. Ich hatte mich hinter Clarissa versteckt. Quiekend lief ich nun davon, Gregor dicht auf meinen Fersen.

»Na, du freches Ding ...«

»Ich weiß ja, wer du bist. Du bist überhaupt nicht der Weihnachtsmann!« neckte ich ihn.

»Was?« brummelte Gregor wütend und packte mich am Arm, »wer so was sagt, der kriegt nichts ...«

Er machte eine Pause und sah mich mit finsterer Miene an. Ich hatte Mühe, mein Lachen zu unterdrücken.

»Also, wer bin ich?« fragte er.

Ich mußte lachen.

»Onkel Gregor«, verplapperte ich mich, und als sich sein

drohender Zeigefinger auf mich richtete, verbesserte ich mich: »Nein ... Quatsch, der Weihnachtsmann bist du ...«

Gregor atmete erleichtert auf und lobte mich. Zufrieden hob er den Sack hoch und schüttete ihn auf dem Wohnzimmerboden aus. Ich kam aus dem Staunen gar nicht mehr heraus. Sollte das wirklich alles für mich sein? Ich stürzte mich auf den Geschenkeberg.

Opa schenkte meinem Vater einen Umschlag mit Geld. Er wollte ihn erst nicht annehmen, hob abwehrend seine Hände, Opa aber blieb hartnäckig. Natürlich konnten wir das Geld gut gebrauchen. Mein Vater ließ sich von niemandem gern helfen, und schon gar nicht von seinem Vater. Verlegen steckte er den Umschlag ein. Er machte keinen glücklichen Eindruck, als er sah, daß ich die beiden beobachtet hatte.

Nach dem Essen setzte sich Opa ans Klavier, und Clarissa, die eine sehr gute Klarinettenspielerin war, begleitete ihn. Sie spielten ein fröhliches Stück, und ich setzte mich staunend vor sie auf den Boden. Sonst stritten sich Vater und Tochter oft, keiner versäumte die Chance, sich mit dem anderen Wortgefechte zu liefern. Aber als sie miteinander musizierten, schienen sie zu harmonieren.

Die Musik füllte leicht und beschwingt den Raum. Clarissa sah so stolz und schön aus, ich bewunderte sie. In diesem Moment beschloß ich mit all meiner kindlichen Energie, so zu werden wie sie. Sie strahlte innere Kraft und Ruhe aus, sie schien mir klug und gebildet. Ich beneidete Gregor, weil er mit ihr zusammenleben durfte. Ich hatte nur noch Augen für die beiden. Meinem Vater entging das nicht. Ich dachte nicht daran, daß ihm diese Welt der Töne, die mich magisch anzog, zeitlebens verschlossen blieb.

Vielleicht ahnte er eine Gefahr, als er seine Schwester musizieren sah und meine Faszination entdeckte. Er wollte sich in Erinnerung bringen und zeigte mir das Buch, das er mir geschenkt hatte: ›Sehen wir es uns zusammen an?‹ Ich übersah seine Traurigkeit, als ich ihn abwies. Die Musik war zu schön, wenn es nach mir gegangen wäre, hätten sie ewig weiterspielen können. Ich saß auf dem Teppich und lauschte ihnen verzückt. Die Geschenke, die Süßigkeiten, meine Eltern und Großeltern hatte ich vergessen.

Niemand hatte mich bisher an die Musik herangeführt. Früher konnte mich Musik überhaupt nicht begeistern. Heute war alles anders. Clarissa und mein Großvater hatten längst aufgehört zu spielen, aber ich spürte die Musik weiter in mir.

Clarissa nahm mich an der Hand und ging mit mir in das obere Stockwerk. Sie führte mich in das Zimmer, in dem sie als junges Mädchen gewohnt hatte. Ein glänzender Mahagonischreibtisch stand am Fenster, ich setzte mich auf die Kante des alten Holzbettes. An den Wänden hingen viele Schwarzweißfotografien, die Oma und Opa, meinen Vater und Clarissa zeigten. Clarissa kramte in einem großen Holzschrank. Vor Aufregung rutschte ich auf der Bettkante hin und her.

»Halte dir jetzt die Augen ganz fest zu«, sagte Clarissa.

Ich spürte einen länglichen, schweren Gegenstand auf meinem Schoß.

»Hier, das ist noch für dich!«

Ich öffnete den hellen Pappkarton und schlug zaghaft das Papier zurück. Eine alte Klarinette lag darin. Ich war starr vor Staunen. Clarissa setzte sich neben mich und wickelte das Instrument vorsichtig aus dem Seidenpapier.

»Meine erste. Damit habe ich spielen gelernt.«

Ich war sprachlos.

»Willst du sie?«

Voller Freude fiel ich ihr um den Hals, wie immer duftete sie nach Maiglöckchen und Sommer. Ich war überglücklich. Clarissa nahm das Instrument aus dem Karton und erklärte mir die ersten Handgriffe.

»Deine Unterlippe ist wichtig. Du mußt sie flach über die Zähne pressen. Siehst du?«

Sie machte es mir vor und spielte eine einfache Melodie. Ich probierte es, immerhin entlockte ich dem Instrument ein paar Töne, und Clarissa lobte mich. Da klopfte es an der Tür. Meine Mutter kam herein und bedeutete mir, es sei an der Zeit zu gehen. Nur widerwillig erhob ich mich und legte meine neue Klarinette in den Karton. Clarissa wollte mich noch länger bei sich behalten und bot meiner Mutter an, mich am nächsten Morgen nach Hause zu fahren. Ich konnte mich nicht entschließen. Ich wollte das Weihnachtsfest bei meinen Eltern verbringen und ebenso gern bei Clarissa bleiben. Mutter machte ein ernstes Gesicht. Unten hörte ich meinen Vater die Autotüren schlagen. Ich hatte meinen Entschluß gefaßt. Ich wollte bei Clarissa übernachten.

Meine Mutter versuchte zu lächeln, es gelang ihr nur mühsam. Wenn sie sich in der Öffentlichkeit mit der Gebärdensprache unterhielt, zog sie sofort die Aufmerksamkeit ihrer Mitmenschen auf sich. Sie wurde mit kleinen Verletzungen und Beleidigungen konfrontiert und hatte gelernt, damit zu leben. Geborgen und sicher fühlte sie sich jedoch nur in ihren eigenen vier Wänden, mit ihrem Mann oder unter ihresgleichen. Daher fiel es ihr sehr schwer, mich am Weihnachtsabend bei meinen Großeltern und Clarissa zu lassen.

Am nächsten Morgen durfte ich Erwachsensein spielen. Wir saßen beide in Clarissas Zimmer vor dem dreiteiligen Spiegel ihres Toilettentisches. Clarissa steckte sich mit geübten Griffen ihre langen, prächtigen Haare hoch. Sie zog die große Schublade auf und bot mir einen Lippenstift an:

»Da! Meine Lieblingsfarbe! Probier mal …«

Ich hatte mir noch nie die Lippen geschminkt. Mama besaß kaum Make-up, sie benutzte nur ab und an eine Feuchtigkeitscreme. Vorsichtig malte ich mir meine Lippen an und besah mich prüfend im Spiegel. Clarissa zeigte mir, wie es besser ging. Ich fühlte mich plötzlich wie eine Dame.

»Mama schminkt sich nie.«

Der Geschmack auf den Lippen, die Farbe im Gesicht waren ungewohnt, aber ich fühlte mich wohl.

»Na? Ist doch nicht schlecht …«

Ich schnitt eine Grimasse und versuchte mich mit meinem neuen Anblick anzufreunden. Clarissa sah mich strahlend an.

»Als ich so alt war wie du, hatte ich auch solche Sauerkrautlocken«, sie fuhr durch mein Haar, »soll ich sie dir abschneiden?«

Meine Haare abschneiden? Eine grauenhafte Vorstellung. Ich liebte meine Haare. Was sollte mir meine Mutter denn frühmorgens bürsten? Ich schüttelte entsetzt den Kopf. Clarissa lachte.

»Ist ja gut. Ich mach nichts, was du nicht willst.«

Sie drehte sich abrupt um und begann etwas in ihrem Schrank zu suchen. War sie jetzt beleidigt? Das wollte ich nicht. Aber anscheinend hatte sie einfach einen anderen Gedanken gefaßt. Sie kam mit einem alten Schwarzweißfoto zurück, das sie aus einer Kiste gefischt hatte.

»Guck. Wie du!«

Sie zeigte ein altes Familienfoto, Clarissa war darauf in meinem Alter zu sehen. Ich betrachtete das Bild aufmerksam. Clarissa hatte die gleichen Haare wie ich, sie waren auf Kinnhöhe abgeschnitten und mit einer Schleife zurückgebunden. In ihren Händen hielt sie stolz die Klarinette, die sie mir gerade geschenkt hatte. Martin, mein Vater, stand etwas steif neben ihr. Sein Lächeln wirkte gequält und unnatürlich. Ich kannte diesen Ausdruck auf seinem Gesicht gut. So blickte er drein, wenn er sich unwohl fühlte. Er trug einen dunklen Sonntagsanzug und wirkte darin wie verkleidet. Ich nahm Clarissa das Bild aus der Hand.

»Das ist Papa?« fragte ich ungläubig.

»Ja. Das sind wir alle vor ungefähr zwanzig Jahren. Siehst du, ich hatte die gleichen Haare wie du!«

Während ich das Foto betrachtete, dachte ich an die Blicke, die mein Vater und seine Schwester am gestrigen Abend des öfteren gewechselt hatten. Sobald sie zusammen in einem Raum waren, herrschte eine unerträgliche Spannung. So, als ob sie um etwas konkurrierten, um die Liebe ihrer Eltern vielleicht oder um die Aufmerksamkeit, die sie beide als Kinder gebraucht, aber nicht bekommen hatten.

»Du hast ihn nicht gerne gehabt«, sagte ich zaghaft, schließlich wollte ich Clarissa nicht verletzen. Überrascht sah sie mich mit ihren ausdrucksvollen Augen an.

»Wen meinst du?«

Ich blickte auf das Foto in meinen Händen und schwieg.

»Martin?« fragte Clarissa, »hat er dir das gesagt? Das stimmt nicht. Als wir klein waren, waren wir uns sehr nah ...«

Sie räusperte sich. Das Thema schien ihr unangenehm zu sein. Aber ich wollte, daß sie weitersprach.

»Und dann?«

Clarissa zupfte sich ihren grauen Pullover zurecht. Sie zog die Schultern hoch und versuchte zu lächeln, aber es wollte ihr nicht recht gelingen.

»Dein Vater ist so stur. Er wollte gar nicht, daß man ihm

hilft«, stieß sie hervor, »er hat sich verschanzt hinter einer Mauer aus Schweigen und Wut und hat niemanden an sich herangelassen. Sieh mich nicht so ungläubig an, Lara, es ist wahr. Deine Großmutter hat ihn immer in Schutz genommen. Bei ihr durfte er alles. Ich erinnere mich noch genau. An seinem 15. Geburtstag hat er das gesamte Porzellan vom Kaffeetisch gefegt.

Alles kaputt. Stell dir vor! Omas Lieblingsporzellan in tausend Scherben.

Aber sie hat nicht einmal mit der Wimper gezuckt. Er war immer ihr Liebling!«

Sie räusperte sich erneut.

»Ich dagegen hatte nie eine Chance bei ihr.«

»Aber du hast nie seine Sprache gelernt …«

Es sollte nicht wie ein Vorwurf klingen, aber wahrscheinlich konnte sie es gar nicht anders verstehen.

»Doch, ich konnte es mal ein bißchen«, erwiderte Clarissa, »als wir klein waren, haben wir uns unsere eigenen Phantasiezeichen ausgedacht. Aber die Ärzte wollten das nicht. Sie hielten es für einen Fehler, sich mit ihm in Gebärdensprache zu verständigen. Sie haben uns gesagt, er müsse sprechen lernen, und wir dürften nichts fördern, was ihn davon abhält …«

In diesem Moment sah Clarissa traurig aus. Vielleicht hatte sie im Laufe der Jahre verstanden, daß es ein Fehler war, die Gebärdensprache nicht erlernt zu haben. Sie hatte ihren Bruder allein gelassen, war ihm nicht gefolgt in seine Welt der Gesten und Zeichen. Martin hatte in seiner Familie niemanden, mit dem er kommunizieren konnte – er wuchs in völliger Einsamkeit und Isolation auf. Was sollte ich meiner Tante sagen? Der Fehler aus der Vergangenheit war nicht mehr gutzumachen. Ich schluckte und wollte möglichst schnell das Thema wechseln.

»Du siehst schön aus in dem Kleid«, meinte ich, als ich ihr das Foto zurückgab.

Clarissa trat hinter mich und faßte mir erneut durchs Haar.

»Also, was ist? Ab damit?«

Ich wußte es nicht. Sie hatte eine besondere Art, sich durchzusetzen, und ihre Entschlossenheit machte es mir schwer, mich gegen sie zu wehren. Außerdem bewunderte ich sie. Wollte ich nicht tatsächlich so sein wie sie? Ich konnte ihr nicht widersprechen, und ich hätte es nicht ertragen, sie zu verärgern. Ich hatte Angst um meine Haare. Sie bemerkte meinen Blick, und ihre Stimme wurde ganz zärtlich, als sie sich flüsternd zu mir herunter beugte.

»Keine Angst! Ich mach dich schön!«

Ich nickte stumm.

Als sie mich zu meinen Eltern zurückfuhr, habe ich geweint. Ich glaube aber, sie hat es nicht bemerkt. Ich saß auf dem Rücksitz, eine blaue Wollmütze auf dem Kopf, die Klarinette in meinem Schoß und in der Hand eine Plastiktüte mit meinem ganzen Stolz – meinen blonden Locken. Auch das alte Foto hatte ich mitgenommen.

Mein Vater arbeitete in seiner Werkstatt, als ich heimkam. Er versuchte, ein elektrisches Gerät zu richten, und war völlig versunken in seine Arbeit. Ich zögerte einen Moment, griff dann aber nach dem Lichtschalter und knipste ihn schnell hintereinander an und aus. Das war unser altes Erkennungszeichen. Er drehte sich zu mir um. Mir stand das schlechte Gewissen ins Gesicht geschrieben. Ich war viel zu spät dran. Seine kleinen lebendigen Augen sahen mich vorwurfsvoll an.

›Wir hatten nachmittags gesagt, nicht nachts‹, deutete er mir.

Ich antwortete nicht. Mit einem Ruck nahm ich meine Mütze vom Kopf. Mein Vater begriff nicht sofort und sah mich erstaunt an. Da ich im Halbdunkel stand, kam er, beugte sich zu mir und hob mich mit seinen starken Händen hinüber ins Licht zu seiner Werkbank. Reuevoll hielt ich ihm die Plastiktüte mit meinen Haaren hin. Ich konnte nicht mehr an mich halten und weinte.

›Warum weinst du?‹ Seine Hände waren mir so vertraut.

Erst in diesem Augenblick wurde mir das ganze Drama bewußt.

›Jetzt siehst du aus wie sie. Das wolltest du doch …‹

Ich hatte ihn verletzt in meinem Wunsch, eine andere zu sein, als ich war. Und ich hatte mich selbst verletzt. Ich wußte überhaupt nicht mehr, was ich wollte. Papa stellte mich zurück auf den Boden. Er hielt meine Hand. Ich wollte mich von ihm lösen, doch Papa ließ nicht los, als wären unsere Hände aneinandergeklebt. Er sah mich sehr ernst an, versuchte, seine Hand von meiner zu lösen, und tat überrascht, als es ihm nicht gelang. Mein Vater lenkte mich mit diesem Spielchen ein wenig ab, das war das einzig Richtige. Ich mußte lachen. Er zerrte an seiner Hand, aber sie wollte sich einfach nicht lösen. Mit meiner freien Hand hielt ich mich an einem Pfosten fest, mein Vater zog vergebens an der anderen Seite. Unsere Hände schienen verschmolzen. Unser Spiel verscheuchte alles, was sich zwischen Vater und mich geschoben hatte. Mein Kummer war vergessen. Dieses Spiel gehörte uns, nur meinem Vater und mir. Er blitzte mich mit fröhlichen Augen an und freute sich, seine Prinzessin wieder lachen zu sehen.

4. Kapitel

Die Klarinette vereinfachte mein Leben nicht gerade. Ich nahm mir viel Zeit zum Üben. Meine Lehrerin, Frau Mertens, schickte mich zu Herrn Gärtner, dem Musiklehrer unserer Schule. Als ich das erste Mal zu ihm ging, erschrak ich. Ein Haufen Kinder, alle im Alter zwischen acht und zwölf Jahren, saß in der Aula auf einem Podium und machte einen ohrenbetäubenden Lärm. Aus diesem wilden Haufen sollte ein Schulorchester werden. Herr Gärtner, ein sympathischer Mann, saß seelenruhig an seinem Klavier. Eine Klarinette hatte bisher gefehlt. Ich wurde aufgenommen. Einige Kinder aus meiner Klasse waren auch dabei.

Am Anfang fiel es mir schwer, die Noten zu lesen, aber mit der Zeit ging es immer besser. Ich war so verliebt in meine Klarinette, daß ich sie oft sogar mit ins Bett nahm. Opa hatte mir einen Cassettenrecorder geschenkt, der stand auf meinem Nachttisch, und es kam mehr als einmal vor, daß ich mit Mozarts Klarinettenkonzert einschlief. Mama sah das nicht so gern, aber meine Klarinette war mein ein und alles, was sollte sie machen.

Nachmittags saß ich oft in der Küche. Meine Noten lagen über den ganzen Tisch verteilt. Ich übte Tonleitern. Das ist eine mühselige Arbeit. Immer wieder verspielte ich mich, immer wieder mußte ich von vorn beginnen. Meine Finger begannen erst langsam, sich an das Instrument zu gewöhnen. Meistens war ich allein, eines Tages aber war mein Vater auch in der Küche. Er machte sich etwas zu essen, während ich auf der Fensterbank saß und übte. Ich hatte gar nicht bemerkt, daß mein Vater mich beobachtet hatte. Um so überraschter war ich, als er plötzlich meine Notenblätter zusammenschob und mit einer ziemlich grimmigen Miene meine Hausaufgaben sehen wollte.

›Meine Hausaufgaben? Ich habe nichts auf‹, deutete ich ihm.

›Das sagst du immer! Los. Zeig mir deine Hefte!‹ wies mein Vater mich streng an.

Widerwillig reichte ich ihm meine Hefte. So ganz stimmte es nicht, daß wir keine Hausaufgaben bekommen hatten, aber bisher hatte er meine Ausrede immer akzeptiert. Vater blätterte die Hefte durch. Er war zwar gehörlos, aber keinesfalls blind. Und es war unübersehbar, daß meine Hefte unordentlich und schlampig geführt waren. Die Ränder waren gesäumt von Frau Mertens' Kommentaren, die sie mit einem dicken roten Stift hinterlassen hatte. Mein Vater war ärgerlich und griff nach meiner Klarinette.

›Ab heute wirst du nicht mehr faulenzen. Solange du nicht besser in der Schule wirst, gibt es keine Klarinette mehr.‹

›Ich faulenze doch gar nicht‹, wehrte ich mich, ›und ich bin schon besser geworden, sagt Frau Mertens, gib mir meine Klarinette wieder.‹

Ich war den Tränen nahe. Aber mein Vater blieb hart.

›Das hier ist nicht wichtig. Die Schule ist wichtig. Die Musik lenkt dich nur ab vom Lernen.‹

Eine unbändige Wut stieg in mir hoch. Wut auf meinen Vater, der nicht zu verstehen schien, was mir Musik bedeutete. Wut auf seine verdammte Gehörlosigkeit!

›So ein Quatsch. Lernen ist überhaupt nicht wichtiger. Was weißt du denn überhaupt, was wichtig ist. Du bist ja taub. Du weißt noch nicht mal, was Musik ist.‹

Und da passierte es. Mein Vater gab mir eine Ohrfeige, die erste Ohrfeige meines Lebens. Meine Wange brannte. Ich starrte ihn fassungslos und wütend zugleich an.

›Du bist gemein. Du hast dich noch nie um meine Schule gekümmert. Du nicht und Mami auch nicht. Du willst doch bloß nicht, daß ich Klarinette spiele. Ich hasse dich.‹

Ich konnte nicht anders. Es brach aus mir heraus. Er hatte mir das Liebste genommen. Weinend lief ich aus der Küche. Mein Vater blieb allein zurück. Verzweifelt legte er die Klarinette auf den Küchentisch und sah traurig hinter mir her. Wir waren beide verletzt. Unsere Beziehung hatte einen ersten ernsthaften Riß bekommen. Ich verstand ihn nicht. Warum war er eifersüchtig auf mein Instrument? Blicke ich heute zurück, so weiß ich, er hatte Angst, mich an eine Welt zu verlieren, die ihm immer verschlossen bleiben würde und die ihn zudem an schmerzliche Momente seiner Kindheit erinnerte.

Meine Mutter erzählte mir später, sie hätten abends im Bett über diesen Vorfall geredet. Sie ließ ihn bedenken, er würde mich nur dann verlieren, wenn er die gleichen Fehler begehe wie seine Eltern. Er solle mich so akzeptieren, wie ich nun einmal war – hörend.

Die beiden Welten, in denen wir lebten, waren sehr verschieden. Man mußte sich sehr bemühen, um die Sorgen und Wünsche des anderen zu erahnen. Das gelang nicht immer.

In den letzten Wochen ihrer Schwangerschaft fiel es meiner Mutter schwer, sich mit ihrem großen runden Bauch zu bewegen. Für mich gab es nichts Spannenderes, als meinen Kopf an ihren Bauch zu legen und den Geräuschen des Babys zu lauschen.

Ich sprach zu dem Kind, als ob es hinter einer Tür schliefe, die sich bald öffnen würde. Ich sagte ihm, es brauche keine Angst zu haben, es werde nicht allein auf der Welt sein, und ich freute mich darauf, ihm etwas auf meiner Klarinette vorzuspielen. Meine Mutter sah mich verwundert an, wenn ich leise mit ihrem Bauch sprach. Ich dachte an Großvater. Er hatte mir erzählt, das Gehör sei das Organ, das als erstes ausgebildet wird.

Es gibt Clubs für Gehörlose, bundesweite Zeitschriften, Sportwettkämpfe, Theatergruppen und natürlich auch Gottesdienste. Die Wehen begannen, als wir in der Kirche waren. Den Schrei, den Mutter ausstieß, als ihre Fruchtblase platzte, werde ich nie vergessen. Ich saß mit anderen Kindern in der ersten Reihe, der Pfarrer sang und hob seine Arme in ausladenden Bewegungen, und die gehörlose Kirchengemeinde tat es ihm gleich.

Ich mochte die Musik der Orgel, die den großen Raum der Kirche für die wenigen hörenden Anwesenden füllte. Wir ›sangen‹ gerade die zweite Strophe, als ein rauher, unartikulierter Schrei die Luft zerschnitt. Mama taumelte stöhnend aus ihrer Bank. Ich rannte zu ihr. Sie hielt sich den Bauch, ich sah, daß sie Schmerzen hatte. Sie ging in die Knie. Zwischen ihren Beinen bildete sich eine Lache. Damals wußte ich nicht, daß das Fruchtwasser war. Mein Vater half ihr gemeinsam mit anderen Männern auf. Viele erschrockene Menschen in der Kirche standen um uns, die Schreie meiner Mutter klangen wie die Hilferufe eines verletzten Tieres.

Im Krankenhaus saßen wir ziemlich lange auf dem Gang. Ärzte und Schwestern eilten an uns vorbei. Mir gegenüber saß ein türkischer Mann mit drei Mädchen. Wir betrachteten uns neugierig. Mein Vater war in einem der vielen Räume verschwunden. Endlich kam er wieder. Der Arzt hatte ihn wissen lassen, es werde noch eine Weile dauern. Ich wollte nicht nach Hause gehen. Ich wollte bei meinem Vater bleiben. Er war sehr nervös. Immer wieder erhob er sich und ging den Gang auf und ab. Wir redeten miteinander, um uns gegenseitig Mut zuzusprechen. Vor dem Fenster der Klinik wehten Fahnen im Wind, und um mich von meiner Sorge um Mama abzulenken, spielte Papa mit mir unser »Geräuscheraten-Spiel«.

›Sie klingen wie Glocken‹, behauptete ich frech, und Papa lachte. Meine Behauptung, auch Fahnen könnten läuten, amüsierte ihn.

Er liebte es, meine Phantasie herauszufordern, und genoß die absurden Antworten, die ich ihm auftischte. Wir spielten diese Spiele um Geräusche sehr gerne. Wie übersetzt man zum Beispiel das Rauschen der Wellen?

Jetzt waren wir allerdings nicht ganz bei der Sache. Ich hatte bemerkt, daß die Mädchen uns und unsere ›fliegenden Hände‹ staunend beobachteten. Sie hatten anscheinend noch nie zwei Menschen in der Gebärdensprache miteinander reden sehen. Schließlich erhob sich eines der Kinder, kam zu uns herüber, nahm eine Hand meines Vaters und schaute hinein, als suche sie darin einen verborgenen Zauber. Wir sahen verdutzt zu und lachten, das Mädchen lief zu seinen Schwestern zurück.

›Hast du dich auch gefreut, als Clarissa geboren wurde?‹ fragte ich.

›Zuerst schon.‹

›Und dann?‹

Mein Vater machte eine unentschiedene Geste.

›Habt ihr nie zusammen gespielt, als ihr so alt wart wie ich?‹

45

›Selten.‹

›Warum?‹

›Zwischen deiner Tante und mir liegt eine ganze weite Welt. Es gibt kaum Berührungspunkte‹, meinte er ernst.

›Vielleicht haben ich und das Baby dann auch keine gleichen „Berührungspunkte".‹

Seine ernste Miene hellte sich auf.

›Mach dir keine Sorgen. Dafür sorge ich schon.‹

Ich war skeptisch.

›Ich erzähle dir jetzt mal was‹, sagte er. ›Vor vielen Jahren, als Clarissa so neun oder zehn Jahre alt war, da gab sie bei uns zu Hause ihr erstes Konzert vor einem größeren Publikum. Großvater hatte alle möglichen wichtigen Leute eingeladen. Ich glaube, es war sein 50ster Geburtstag. Opa war sehr stolz auf seine Tochter. Sie sollte einige Stücke spielen, für die sie wochenlang geübt hatte. Die ganze Familie war aufgeregt an dem Tag.

Ich stand da in meinem feinen Anzug, in dem ich mich unwohl fühlte, sah meinen Vater mit einem beschwingten Gesicht am Flügel sitzen, sah meine Schwester mit der Klarinette und war ausgeschlossen. Ich beobachtete meinen Vater, seine Hände, die über die Tasten huschten, die angestrengten Gesichter der Geiger, Clarissa, die konzentriert auf ihrem Instrument spielte. Die Musik blieb mir ein Geheimnis. Stell dir ein Theaterstück ohne Worte vor. Alles wirkte so ernst und feierlich, komisch geradezu. Alle standen oder saßen in unserem Wohnzimmer und blickten feierlich drein. Ich mußte lachen, plötzlich fand ich die Aufführung so komisch. Ich weiß, daß mein Lachen sich ungewohnt anhört. Clarissa kam aus dem Takt, ich konnte nicht aufhören. Mein Vater sprang hinter dem Flügel hervor, packte mich und zerrte mich, vorbei an den irritierten Zuschauern, aus dem Zimmer. Ich weiß nicht, was mir geschah. Er verpaßte mir schallende Ohrfeigen und redete auf mich ein, so als ob er vergessen hätte, daß ich ihn nicht hören konnte. Er stieß mich in mein Zimmer und schloß die Tür hinter mir zu. Während alle anderen im Haus der Musik lauschten, weinte ich hinter der verschlossenen Tür meines Zimmers.‹

Ich schaute meinen Vater traurig an. Sein Blick war nach innen gekehrt, nur selten hatte er bisher zu mir über seine Vergangenheit gesprochen. Ich hatte das Gefühl, ihn trösten zu müssen. Als ich mich an ihn schmiegte, richtete er sich auf.

›Seit diesem Abend weigerte sich Clarissa, Klarinette zu spielen, wenn ich im Zimmer war. Und so habe ich ziemlich viele Abende allein in unserem Kinderzimmer verbracht, während Clarissa unten ihre „Auftritte" hatte.‹

Mein Vater sah aus dem Fenster. Die Fahnen flatterten im Wind. Er schien ganz versunken in Erinnerungen. Seine Erzählung hatte Gefühle des Ausgeliefertseins wiedererweckt. Aber sie waren Vergangenheit, mit einem Schlage wurden wir in die Gegenwart zurückgerufen – die Tür, hinter der Mama verschwunden war, öffnete sich. Wir fuhren beide herum. Mein Vater durfte bei der Geburt dabeisein. Der Arzt forderte ihn auf zu kommen, es sei jetzt soweit. Sie verschwanden im Kreißsaal. Auch bei meiner Geburt war Vater dabeigewesen. Damit tröstete ich mich, während ich allein auf dem Gang zurückblieb.

An diesem Tag kam meine Schwester Marie zur Welt. Ich war glücklich.

In den nächsten Monaten spielte ich oft Mutter, und Marie war mein Kind. Ich genoß das Gefühl, sie auf meinem Arm durch das Zimmer zu tragen. Sie roch so süß, und ihre winzigen Händchen griffen immer nach meinen Haaren.

»Marie … mein Schatz!«

Ich cremte ihr Gesicht sorgfältig ein und frisierte ihre Haare. Daß es noch nicht allzuviele waren, machte mir nichts. Meine Mutter kam ins Zimmer, sah mich prüfend an, streichelte das Baby und hob es empor. Sie legte Marie in ihr Bettchen. Damit war ich nicht einverstanden. Ich protestierte.

›Nicht, Mama. Ich wollte ihr doch noch eine Geschichte vorlesen. Ich soll viel mit ihr reden.‹

Mama erklärte mir, daß Marie jetzt müde sei und schlafen müsse.

›Woher willst du das denn wissen? Hat sie dir das erzählt?‹

Meine Mutter deckte Marie zu und schloß die Vorhänge, ich sollte leise sein und sie schlafen lassen. Sie ging aus dem Zimmer, und ich blieb bei Marie, hockte mich vor ihr Bettchen und betrachtete sie. Sie lag auf der Seite und strampelte. Ich redete mit ihr, aber sie reagierte nicht. Da ich noch nicht wußte, daß sie noch zu klein war, um ihren Kopf zu drehen, bekam ich es mit der Angst zu tun. Sollte Marie auch gehörlos sein? Ich schnippte mit dem Finger, nichts. Ich sprach mit ihr, keine Reaktion. Ich sah sie an. Mir kam eine Idee. Meine Klarinette stand auf dem Schreibtisch. Ich holte sie, stellte mich damit neben ihr Bett und blies so fest wie möglich hinein. Eine Klarinette ist kein großes Instrument, aber man kann mit ihr einen sehr durchdringenden Ton erzeugen.

Marie begann wie am Spieß zu schreien. Die Warnlichter an der Wand blinkten wild. Mir fiel ein Stein vom Herzen. Marie konnte hören. Alle hatten mir gesagt, daß sie ein hörendes Kind sei, aber nun hatte ich mich selbst überzeugt. Ich nahm den kleinen Schreihals, der nicht wußte, was das alles zu bedeuten hatte, auf den Arm und tanzte glücklich mit ihm durch das Zimmer.

Auf meiner Klarinette machte ich Fortschritte. Das hatte ich vor allem Herrn Gärtner, meinem Musiklehrer, zu verdanken. Er kümmerte sich rührend um mich, besorgte mir Noten und hatte immer für mich Zeit. Das Notenlesen hatte er mir schnell beigebracht, die Tonlagen ebenso, und mittlerweile übten wir Stücke mit Triolen. Ich glaube, er war stolz auf mich, denn ich war eine gute Schülerin. Immer wieder sprach er davon, er wolle sich nach einem Lehrer für mich umsehen. Ich hielt das aber für keine gute Idee, denn Privatstunden waren sicher sehr teuer, und außerdem versuchte ich, das Thema Musik von meinem Vater, so gut es ging, fernzuhalten.

Mit Herrn Gärtner sprach ich aber nicht über meine familiäre Situation, statt dessen redete ich mich darauf hinaus, daß meine Eltern zur Zeit zu beschäftigt mit dem Baby seien, um sich diesem Problem widmen zu können.

Ich war eine Einzelgängerin und bewegte mich nicht gern in Cliquen. Selten wurde ich zu Geburtstagsfeiern anderer Kinder eingeladen. Ich verbrachte fast meine ganze Freizeit mit dem Klarinettenspiel. Herr Gärtner hatte bald mitbekommen, daß ich keinen besonders intensiven Draht zu den übrigen Kindern hatte. Einmal sah er mich nach einer Stunde an, als ob er mich trösten wollte, und sagte:

»Die Raben fliegen in Schwärmen. Der Adler aber fliegt allein.«

Und dabei grinste er wie ein altes Honigkuchenpferd. Ich fühlte mich verstanden.

Ich hatte bald Gelegenheit, mein neu bestärktes Selbstwertgefühl zu demonstrieren: Im Orchester übten wir für unser erstes Konzert. Es hörte sich bei weitem nicht mehr so schlimm an wie an dem Tag, an dem ich dazugestoßen war, aber man sah Herrn Gärtner an, daß er noch nicht ganz zufrieden war. Trotzdem verlor er nie den Mut. Ich habe ihn immer wegen seines Durchhaltevermögens geschätzt.

»Bis auf die Triangeleinsätze war doch alles ganz schön ...«

Die Triangel spielte Uli, mein besonderer Freund.

»Ich bin halt nicht so musikalisch ...«, stotterte er.

»Was du nicht sagst!« brummte Herr Gärtner zurück, »und wenn die Trompete das nächste Mal vielleicht den Kaugummi rausnimmt!«

Die »Trompete« guckte betreten und klebte den Kaugummi blitzschnell unter die Bank. Es klingelte, und alle Kinder stürzten nach draußen. Ich hatte es nicht so eilig. Plötzlich zupfte mich jemand am Ärmel. Ich sah mich um. Uli stand hinter mir und wußte nicht recht, wohin mit seinen Händen. Ich blickte ihn überrascht an. Was wollte der denn von mir? Keine Gelegenheit ließ er sich entgehen, um sich über mich oder meine Eltern lustig zu machen, und nun stand er da, als könne er keiner Fliege etwas zuleide tun.

»Erklärst du mir, was ich machen muß?« fragte er, so nett er konnte, »du bist doch so gut in Musik.«

Für einen Moment war ich verwirrt. Doch dann besann ich mich.

»Da gewinn ich eher noch den nächsten Lesewettbewerb, bevor du die Musik verstehst!«

Das saß. Er wußte, was ich meinte.

»Ich würde dich auch zu meiner Party einladen ...«, versuchte er einzulenken.

Denkste. Nicht mit mir. Meine Stunde war gekommen. Ich sah ihn hochmütig an.

»Wer will denn schon auf deine Party? Und überhaupt: Die Raben fliegen in Schwärmen, der Adler aber fliegt allein.«

Ich drehte mich schwungvoll um und präsentierte ihm meine Kehrseite. Ich bedauere es bis heute, sein verblüfftes Gesicht nicht gesehen zu haben.

Nun hatte ich eine Schwester und eine Klarinette, und mein erstes Konzert lag vor mir. Ich hatte mir schon das Kleid ausgesucht, das ich tragen wollte. Ein helles, geblümtes Sommerkleid. Während ich es anprobierte, betrachtete ich immer wieder das Foto, das Clarissa mir geschenkt hatte. Es steckte im Rahmen des Spiegels. Robert und Lilli, Clarissa und Martin. Sah ich Clarissa ähnlich? Ich trug die Haare fast wie sie, ich trug ein helles Kleid, ich hielt eine Klarinette in den Händen …

Meine Eltern hatten ihr Kommen noch nicht zugesagt. Ich zog das Kleid wieder aus, schlüpfte in meinen Schlafanzug und ging zu meinem Vater in die Werkstatt. Ich zeigte ihm verschiedene Handstellungen auf meiner Klarinette. Ich wollte, daß er meine Liebe für die Musik verstand.

›Die leichteste Note ist das C. Keine Finger … guck, so!‹

Ich machte es ihm vor. Aber Papa schaute nicht hin, sondern blieb seiner Arbeit zugewandt. Er strich einen Stuhl an, sein Hemd war verschmiert, selbst in seinem Bart hingen Farbspritzer.

›Bis jetzt ist es aber noch nie in einem Lied vorgekommen. Vielleicht benützen sie's nicht, weil es so einfach ist …!‹

Endlich sah er auf.

›Bist du mit den Hausaufgaben fertig?‹

Immer diese blöden Hausaufgaben. Aber diesmal mußte ich nicht lügen.

›Hmmhmm. Mathe habe ich im Bus gemacht. Ich muß noch eine Geschichte lesen, aber das kann ich auch morgen machen‹, antwortete ich ihm in Gesten. Ich machte eine kleine Pause und sah ihn herausfordernd an, ›kommt ihr nun morgen?‹

Mein Vater fuhr mit seiner Arbeit fort. In langen, geübten Schwüngen strich er den Stuhl. Ließ er mich absichtlich warten? Aus seinem Gesichtsausdruck las ich: »Für was soll das gut sein?«

›Ich will Mama nicht mit dem Baby allein lassen‹, deutete er mir schließlich.

Ich war enttäuscht. Natürlich. Nichts hätte ich mir sehnlicher gewünscht, als meine Eltern wie ganz normale andere – hörende – Eltern bei meinem ersten Konzert dabeizuhaben. Meine Leidenschaft für die Musik war erwacht, und ich hätte sie so gern mit ihnen geteilt. Ich wußte, daß das mit dem Baby bloß eine Ausrede war. Aber es war spät, ich war müde und aufgeregt zugleich, und ich hatte keine Lust zu streiten.

Noch heute denke ich immer wieder an meinen ersten Auftritt zurück. Ich war neun Jahre alt. Vor mir trat die Theatergruppe auf. Die Bühne war als Himmel dekoriert. Ein paar Kinder liefen aufgeregt hinter dem Vorhang herum, einige machten ihren Eltern oder Verwandten heimlich Zeichen. Ein kleiner Junge stand auf der Bühne, gehüllt in weiße Tücher, und zitierte etwas von Goethe. Dazu schlug ein anderer, wenn es in den Zeilen ›donnerte‹, mit aller Kraft auf eine Pauke. Nach ihrem Vortrag verbeugten sie sich vor dem Publikum. Alle klatschten begeistert. Der Junge raffte seinen weißen Umhang zusammen und sprang in einem Satz hinunter von der Bühne zu seinen Eltern, die ihn stolz umarmten. Ich stand in meinem hellen, geblümten Sommerkleid am Rand der Bühne und beobachtete ihn. Er strahlte.

Zwei Plätze im Zuschauerraum waren leer geblieben. Meine Eltern fehlten, obwohl ich mir nichts sehnlicher gewünscht hatte als ihr Kommen. Plötzlich kniete Herr Gärtner neben mir und gab mir ein Zeichen. Ich war dran. Ich nahm ihn wie durch einen Schleier wahr. Er nahm mich bei den Schultern, er schüttelte mich sanft und sprach mir Mut zu.

»Du schaffst das, Lara. Du wirst das jetzt sehr, sehr gut machen.«

Der Vorhang wurde zugezogen, der Applaus verebbte. Ich stand stocksteif mit meiner Klarinette in den Händen hinter dem geschlossenen Vorhang, in meinem Rücken begannen Kinder bereits, das Bühnenbild für den zweiten Akt umzubauen. Herr Gärtner gab mir einen leichten Stoß. Mechanisch, wie eine Puppe, setzte ich Fuß vor Fuß und trat vor den Vorhang. Alle sahen zu mir auf. Irgendwo hustete jemand. Hinter mir hörte ich das Gerumpel der Bühnenbildner. Ein Scheinwerfer strahlte mir genau ins Gesicht. Aber das zählte nun alles nicht mehr. Ich blickte über die Zuschauer hinweg und begann zu spielen. Ich spielte ein Stück, das ich mit Herrn Gärtner komponiert hatte. Es ist lange Jahre eines meiner Lieblingsstücke geblieben.

Nach den ersten Tönen wurde es mucksmäuschenstill im Saal. Ich konzentrierte mich auf die Musik und mein Instrument. Als ich meinen Vortrag beendet hatte, klatschten alle, und ich verbeugte mich. Aber erst, nachdem ich Herrn Gärtner angesehen hatte, wußte ich, daß ich meine Sache gut gemacht hatte. Er lächelte und sah mich stolz an. Ich hatte es geschafft.

5. Kapitel

Die Jahre vergingen. Ich wurde achtzehn, war größer als meine Mutter, und ich hatte wieder lange dunkelblonde Locken. In den letzten Jahren hatte ich oft auf einer Bühne gestanden, aber es war nie wieder so aufregend wie beim erstenmal.

Papa hatte graue Haare bekommen. Mama strahlte immer noch ihre unverbrauchte jugendliche Frische aus. Marie war neun Jahre alt geworden und rotzfrech.

Es macht einen Unterschied, ob man achtzehn oder neun Jahre alt ist. Mit neun Jahren war Maries Neugier grenzenlos. Sie wollte alles wissen, alles verstehen und alles erforschen. Sie sang, tanzte, machte Lärm und eine Menge Unsinn. Ich mit meinen achtzehn Jahren saß viel an meinem Schreibtisch, lernte, telefonierte mit meinen Freundinnen oder lag auf dem Bett und hörte Musik. Mein Zimmer hatte sich in den letzten Jahren kaum verändert. Auf dem Nachttisch stand noch immer das Foto, das mir Clarissa geschenkt hatte. Marie hatte sich, wie gesagt, zu einem Wirbelwind entwickelt, der meine Nerven von Zeit zu Zeit arg strapazierte. Sie liebte es, sich zu verstecken, und erst, wenn wir die Nase voll hatten vom Suchen und ärgerlich wurden, kam sie aus irgendeiner Ecke hervorgekrochen. Eines Tages veranstaltete sie mit ihrer Freundin ein großes Getöse auf dem Flur. Ich versuchte, mich auf den Stoff zu konzentrieren, den ich zu lernen hatte, als die Tür zum wiederholten Male aufflog. Marie und ihre Freundin Bettina polterten ins Zimmer. Sie waren mit Ketten und Tüchern behängt, auf dem Kopf trugen sie selbstgebastelte Kronen aus Goldpapier, und in ihren Händen hielten sie angebissene Negerküsse. Marie umarmte mich von hinten und drückte mir einen klebrigen Kuß auf die Wange.

»Du Schwein«, rief ich.

Sie lachte lauthals.

»Ist ja nur Schokolade …«

»Bettina hat ’ne Runde geschmissen«, japste Marie. Sie hob ihre Tücher, schwang ein Bein über mich und kletterte auf meinen Schoß.

»Bettina schläft heute nacht bei uns. Ihre Eltern sind weggefahren. Leihst du uns deine Klarinette?«

Nach dem ganzen Lärm sollte ich ihr nun auch noch einen Gefallen tun?

»Kommt nicht in Frage«, antwortete ich kurz angebunden und schob meine Schwester von meinem Schoß.

»Wieso denn nicht?« rief sie eingeschnappt, »hast du Angst, ich mache sie kaputt?«

»Runter jetzt. Hast du den Tisch schon gedeckt?«

Die Arbeiten im Haushalt wurden geteilt. Jede hatte ihre Aufgabe. Wie üblich überhörte meine kleine Schwester routiniert die Frage. Sie verlegte sich aufs Betteln.

»Ich will sie doch nur Bettina zeigen. Biiiiiitteee!!«

»Hör auf, du kriegst sie nicht. Klar? Und jetzt raus. Ich muß lernen. Wenn euch langweilig ist, helft Mami in der Küche.«

Marie holte enttäuscht Luft und verschwand mit ihrer grinsenden Freundin aus meinem Zimmer, um sogleich wieder ihren Kopf durch die Tür zu stecken.

»Ich will sie ja gar nicht, deine blöde Tröte.«

Ich tat ihr nicht den Gefallen, mich umzudrehen.

» … geht eh allen auf die Nerven, deine Musik«, legte sie nach.

Der Schuh klatschte eine Handbreit neben ihr Gesicht an den Türpfosten. Erschrocken schlug sie die Tür zu. Die nächste halbe Stunde hatte ich Ruhe, aber ich war mir sicher, daß sich Marie noch etwas einfallen lassen würde. Und ich hatte mich nicht getäuscht. Nach meinen Hausarbeiten übte ich ein neues Stück, das mir gut gelang. Mein Klarinettenspiel war im ganzen Haus zu hören. Mama war unten in der Küche und tunkte Äpfel in Schokoladensauce. Marie und Bettina alberten im Flur vor der Küche herum. Meine Mutter schenkte ihnen keine Beachtung.

»Hörst du das?« schimpfte Marie zu ihrer Freundin Bettina, »so geht das den ganzen Tag. Mir hängt dieses Gedudel zum Halse raus.«

Sie kletterte auf einen Stuhl, den sie aus dem Wohnzimmer hergeschleppt hatte. Bettina grinste sie erwartungsvoll an. Marie begann zu zählen und ließ sich bei drei mit lautem Gepolter auf den Boden fallen. Sie brach in jämmerliches Geschrei aus. Bettina sah durch den Küchentürspalt. Mutter saß völlig unbeeindruckt, ihnen den Rücken zugewandt, am Küchentisch und leckte sich die Schokoladensauce von den Fingern. Bettina sah enttäuscht aus.

»Lauter!« forderte sie Marie auf.

Marie stimmte ein ohrenbetäubendes Wehklagen an. Es hörte sich an, als hätte sie sich zwei Finger abgeschnitten. Ich warf mein Instrument aufs Bett und raste nach unten. Marie lag mit schmerzverzerrtem Gesicht auf dem Boden. Ich hatte schreckliche Angst um sie.

»Hast du dir weh getan?«

Vorsichtig hob ich sie hoch. Da erst bemerkte ich, wie sich ihr Gesicht zu einem Lachen verzog. Mit einem Ruck stellte ich sie auf die Beine.

»Was soll der Mist?«

Die beiden Gören kicherten albern los und prusteten in ihre Hände. Marie hielt sich an meinen Schultern fest.

»Bettina meint, daß unsere Eltern vielleicht gar nicht wirklich gehörlos sind. Sie meint, daß sie vielleicht Spione sind, die uns einer geschickt hat, um uns zu überwachen. Wir haben Mama gerade getestet!«

Marie schüttelte sich vor Lachen. Ich fand das überhaupt nicht komisch und schlug nach ihr. Ich war wirklich aufgebracht. Sie duckte sich überrascht.

»Bist du total verrückt geworden? Schämst du dich nicht?«

Unsere Auseinandersetzung war selbst meiner Mutter nicht entgangen. Ich hatte Marie fest im Griff, und als es ihr nicht gelang, uns zu trennen, stampfte sie wütend mit dem Fuß auf, um unsere Aufmerksamkeit auf sich zu lenken.

›Was ist hier los? Was soll das?‹

Ihre Gebärden waren ausladend und heftig. Wir fühlten uns für ihren Ärger verantwortlich und sahen betreten zu Boden. Sie verlangte eine Erklärung.

›Stell dir vor‹, deutete ich ihr aufgebracht, auch meine Gebärden waren erregt, überdeutlich und ausladend, ›was Marie gemacht hat! Sie und ihre dämliche Freundin haben dich gerade getestet! Bettina denkt, daß du nur so tust, als ob du gehörlos bist! Sie denkt, du bist vielleicht ein Spion!‹

Ihrem Blick entging keine meiner Gesten. Ihre aufmerksamen Augen registrierten jede noch so kleine Nuance dessen, was ich ihr mit meinen Gebärden sagte. Sie sah zu meinen Händen, zu Maries schuldbewußtem Gesicht, zu Bettina, die immer noch auf den Boden blickte. Die Geschichte, die ich ihr zu erklären versuchte, klang ja auch zu verrückt, als daß man sie sofort hätte verstehen können. Nachdem ich fertig war, herrschte einen Moment lang Totenstille. Von einer Sekunde zur anderen lachte Mama schallend. Damit hatte keine von uns gerechnet. Wir sahen uns verblüfft an.

›Das ist ja lustig‹, deutete Kai, ›das muß ich Martin erzählen. Ich habe als Kind immer geglaubt, meine Eltern haben mich aus einem Heim adoptiert. Ich kannte damals noch keine gehörlosen Erwachsenen, und ich dachte, Gehörlose sterben als Kinder, sie werden nicht alt. Ihr könnt euch nicht vorstellen, wie groß meine Überraschung war, als ich zum erstenmal in ein Gehörlosen-Zentrum kam, in dem es von gehörlosen Erwachsenen nur so wimmelte.‹

Marie dolmetschte ihre Worte für Bettina. Mama machte eine eindeutige Geste, die sagen sollte, daß ihre Ohren wirklich taub sind. Bettina war verunsichert. Mama ging lächelnd in die Küche zurück. Und was machte Marie? Sie streckte mir die Zunge raus.

»Siehst du, sie fand das gar nicht schlimm. Nur du mußt dich wieder so aufregen! Geh doch wieder dudeln. Auf deiner doofen Klarinette.«

»Sei froh, daß du Ohren hast, die sie hören können, meine doofe Klarinette.«

Ich stieg die Treppe hoch.

»Papa hört nichts, und er haßt sie trotzdem«, brüllte Marie mir hinterher, »deine Musik.«

»Ich kann ja ausziehen, wenn es euch allen nicht paßt«, gab ich zurück, »dann guckst du aber blöd!«

Meine Tür flog mit einem gewaltigen Knall zu. Das hatte ich nun davon. Mit meiner Liebe zur Musik war ich allein, und meine kleine Schwester machte sich über mich lustig. Sie hielt mit nichts hinter dem Berg, und sie nahm die Dinge viel leichter als ich. Für mich war die Gehörlosigkeit meiner Eltern eine ernsthafte Sache, mit der man nicht spaßen durfte. Marie konnte mit der Gehörlosigkeit ihrer Eltern viel selbstverständlicher umgehen. Ich beneidete sie in diesem Moment um ihre Unbeschwertheit, um ihre Fröhlichkeit und darum, daß sie die »kleine Schwester« war, der ich den Weg geebnet hatte.

Wir veranstalteten ein Konzert in der Schule, und ich ließ es mir nicht nehmen, ein Stück zu spielen. Tante Clarissa besuchte meine Großeltern und kam, um mich zu hören. Sie haßte dieses Stück und betonte immer wieder, wie depressiv sie ›diese Art Musik‹ mache. Ich weiß nicht, wie sie es anstellte, aber sie schien in den vergangenen Jahren keinen Tag gealtert zu sein. Sie trug ihre langen roten Haare offen, und ihre Art sich zu kleiden, weder zu sehr Dame noch zu sehr Mädchen, unterstrich ihr Äußeres aufs beste.

Sie war nach dem Auftritt in das kleine Klassenzimmer, das an diesem Abend als Umkleidekabine diente, gekommen, nahm mich in die Arme und drückte mir einen Kuß auf die Wange. Sie schien vor Neuigkeiten zu platzen. Wir stürzten uns ins Gedränge, denn im Anschluß an die Aufführung fand eine Schülerfete in der festlich dekorierten Aula statt. Die Musik war ziemlich laut. Wir gesellten uns zu Herrn Gärtner an eine Bar. Clarissa zog eine Broschüre der Musikhochschule in Berlin aus ihrer Handtasche und gab sie mir. Sie sagte ein paar Worte, doch ich konnte sie wegen des Lärms nicht verstehen. »Hätte sie die Sprache meiner Eltern gelernt, könnten wir uns jetzt unterhalten«, dachte ich amüsiert. Clarissa beugte sich vor und kam dicht an mich heran.

»Es ist die beste! Absolut. Die Studenten kommen aus der ganzen Welt«, schrie sie mir ins Ohr.

Für Tante Clarissa mußte alles immer das Beste sein. Die

Marmelade durfte nicht zuviel Zucker enthalten, das Fleisch mußte vom biologischen Bauernhof kommen, der Wein mindestens fünf Jahre alt sein und die Sachen, die sie anzog, mußten mit ihrem Wesen korrespondieren.

Ich zuckte mit den Schultern und warf das Heft auf den Tisch. So eilig hatte ich es nicht. Clarissa sah mich enttäuscht an. Sie griff nach der aufwendig gestalteten Informationsmappe des Konservatoriums und wandte sich an den neben ihr stehenden Herrn Gärtner. Vielleicht würde er sie in ihrem Vorhaben bestärken.

»Sagen Sie doch mal was dazu«, sie drückte ihm die Mappe in die Hand, »schließlich geht's um Laras Zukunft.«

Ich machte mir, ehrlich gesagt, um meine Zukunft noch keine großen Gedanken. Ich wollte den Abend genießen und mit den anderen feiern. Auch Herr Gärtner gab Clarissa nicht die Antwort, die sie hören wollte.

»Sind Sie gekommen, um mir die einzig talentierte Schülerin, die ich hier je hatte, wegzunehmen? Ich weiß nicht, ob ich das so gut finde.«

Während er das sagte, hatte er wieder einen ironischen Blick. Ich sah an Clarissas Gesicht, daß sie seine Bemerkung gar nicht komisch fand. Sie mochte es nicht, wenn man einen Scherz auf ihre Kosten machte. Herrn Gärtner war der pikierte Blick von Clarissa ebenfalls nicht entgangen, er räusperte sich.

»Also ehrlich«, erwiderte Clarissa vorwurfsvoll, »irgend etwas muß sie doch aus diesem Talent machen. Hier kann sie doch nichts werden …«

Das wußte Herr Gärtner natürlich selbst am besten.

»Da hat deine Tante recht.«

Wurde hier über meinen Kopf hinweg meine Zukunft entschieden? Anscheinend befanden sie es gar nicht für nötig, mich zu fragen. Das Konservatorium lag in Berlin. Wir wohnten in Süddeutschland. Das waren mindestens 600 Kilometer Entfernung.

»Ich weiß nicht«, ließ ich meinen Zweifeln freien Lauf, »Berlin? Da müßte ich mir ja ein Zimmer suchen. Das ist doch viel zu teuer.«

Clarissa machte ein Gesicht, das besagen sollte, »alles kein Problem«. Doch was wußte sie denn schon?

»Da finden wir schon eine Möglichkeit. Ich bin ja schließlich auch noch da.«

»Du glaubst doch selbst nicht, daß Papa von dir Geld nimmt!«

»Niemals im Leben wird er das akzeptieren«, dachte ich, aber Clarissa schien sich alles schon genau überlegt zu haben.

»Ich will es ja nicht ihm geben, sondern dir.«

Nun bekam sie auch noch Unterstützung von Herrn Gärtner.

»Ich könnte dir eine Empfehlung schreiben.«

Damit hatte er sich Clarissas Wohlwollen zurückerobert. Sie lächelte ihn an, und ich stand verwirrt zwischen den beiden.

»Siehst du.«

Ein Junge, den ich eigentlich ganz nett fand, schob sich zwischen uns. Er wollte mit mir tanzen. Ich hatte nun keine Lust mehr.

Er machte ein betrübtes Gesicht und entfernte sich. Ich sah Clarissa an.

»Musik ist mir doch gar nicht so wichtig.«

»Blödsinn. Wenn du das Angebot nicht annimmst, läßt du dir eine Riesenchance entgehen! Du kannst doch nicht dein Leben lang auf deine Eltern Rücksicht nehmen.«

Da hatte sie den wunden Punkt getroffen. Könnte ich meine Eltern allein lassen? Kämen sie ohne mich klar? Das hatte ich mich schon oft gefragt. Unser Miteinander war so selbstverständlich, und ich war ihre Verbindung zu der Welt der Hörenden. Müßten sie sich nicht im Stich gelassen fühlen, wenn ich ginge, ausgerechnet zu Clarissa nach Berlin?

»Bitte Clarissa«, erwiderte ich, »du tauchst alle Mondjahre mal auf und hast jedes Mal irgendeine andere Idee. Manchmal glaube ich, dir ist bloß langweilig …«

Daraufhin gab ein Wort das andere. Herr Gärtner stand in der Mitte und sah von einer zur anderen. Clarissa hatte Aufschlag.

»Also, ich mache dir ein letztes Angebot: Du kommst den Sommer über zu uns, und wir probieren zusammen ein paar Stücke. Jeden Tag. Den ganzen Sommer nur spielen, Konzerte besuchen, bißchen ausgehen in der ›großen‹ Stadt … Danach schauen wir, ob es für die Aufnahmeprüfung reicht. Hast du Lust?«

Das war gemein. Ich war achtzehn Jahre alt, in einer Kleinstadt groß geworden, und nun lockte mich meine Tante mit diesem Angebot. Da hatte ich keine Wahl. Herr Gärtner hatte die Situation bereits erkannt.

»Darf ich vielleicht auch mit?« seufzte er wehmütig.

Langsam löste sich meine Anspannung, ich lächelte Clarissa offen an.

»Du weißt genau, daß ich Lust habe.«

Clarissa machte ein siegessicheres Gesicht.

»Na also«, meinte sie mit fester Stimme, und dann flüsterte sie mir leise ins Ohr, so daß es Herr Gärtner nicht hören konnte, »und du weißt gar nicht, wie langweilig mir mit deinem Onkel Gregor den ganzen Tag ist!«

Natürlich maß ich ihren Worten keine besondere Bedeutung bei. Ich hielt ihren Kommentar für eine ihrer üblichen Bemerkungen. Die Musik wurde wieder lauter, Herr Gärtner wandte sich seinem Bier zu und schob sich plötzlich auf die Tanzfläche. Ich hatte ihn vorher noch nie tanzen gesehen, er bewegte sich wie ein trauriger, alter Bär.

Was wußte ich mit achtzehn Jahren über die Welt meiner Eltern? Ein hörender Mensch befindet sich ständig in einem inneren Monolog, er reflektiert über sich und sein Leben, macht Pläne, überlegt sich, was er als nächstes sagen und wie er auf etwas reagieren kann. Aber wie ist es bei Gehörlosen? Sie kennen den Klang ihrer eigenen Stimme nicht. Wie sie in sich Zwiesprache führen, kann ich mir bis heute nicht vorstellen. Ich habe es oft versucht, aber was nützt es, wenn ich mich in einen stillen Raum setze und mir Watte ins Ohr stopfe? Ich höre mein Blut rauschen, und meine innere Stimme redet ohne Unterlaß auf mich ein.

Es war wieder Winter. Draußen lag Schnee. Ich trug eine Mütze und eine dicke Jacke. Unser Fernseher streikte. Das Geld war knapp, und es kam überhaupt nicht in Frage, einen neuen zu kaufen oder den Reparaturdienst zu rufen. Papa hatte die schwere Kiste in seine Werkstatt geschleppt. Als ich vom Schulkonzert abends nach Hause kam, war noch Licht bei ihm. Ich blieb einen Moment in der Tür stehen. Mama und Papa wandten mir den Rücken zu. Sie machten sich beide an dem Fernseher zu schaffen, und wenn sich ihre Hände berührten, lächelten sie sich an wie ein verliebtes Paar.

Es war ein schönes Bild, meine Eltern so vereint zu sehen. Ich glaube, jedes Kind freut sich ganz tief im Inneren, wenn es seine Eltern so glücklich miteinander sieht, und es haßt nichts mehr, als wenn sich seine Eltern streiten. Ich habe es selten erlebt, daß sich meine Eltern stritten. Ich war glücklich, wenn sie glücklich waren. Sie hatten eine besondere Art, ihr Glück zu teilen, und ich denke, daß eine Innigkeit zwischen ihnen geherrscht hat, von der ich nicht weiß, ob ich sie je mit einem Menschen erreichen werde. Ich knipste den Lichtschalter an und aus. Meine Eltern begrüßten mich, und meine Mutter fragte mich, ob ich nicht ein paar Anrufe für sie tätigen könne. Ich stöhnte auf.

›Was ist denn mit Marie, kann sie nicht mal für dich telefonieren?‹

›Bitte Lara, ich will, daß du es machst‹, deutete sie mir.

Ich nickte. Ihre Bitten und Forderungen gingen mir auf die Nerven.

Mein Vater sah mich prüfend an.

›Wo kommst du her?‹ wollte er wissen.

Ich log. Ich hatte keine Lust, mich dafür zu rechtfertigen, daß ich ein kleines Konzert gegeben hatte.

›Ich war etwas trinken. Mit ein paar Freundinnen.‹

›Bring sie doch mal mit, deine Freundinnen.‹

Mein Vater hatte recht. Ich brachte selten jemanden mit nach Hause. Warum eigentlich? Schämte ich mich wegen meiner Eltern? Hatte ich Angst vor dem Spott meiner Freundinnen? Ich weiß es nicht. Vielleicht war ich auch nur ein ganz normaler Teenager, der sein eigenes Leben leben wollte, und in dem hatten Eltern nicht mehr viel zu suchen. Ich dachte an Clarissa, die mich für den Sommer nach Berlin eingeladen hatte, und daran, wie schwer es werden würde, meinem Vater zu gestehen, daß ich lieber heute als morgen die Einladung annehmen würde.

Ich öffnete die Tür der Werkstatt. Was für eine wunderschöne Nacht! Der Mond stand rund und zufrieden am schwarz-blauen Himmel, eine große, gelbe Kugel. Der Schnee fiel in dicken Flocken zur Erde, die wie bestäubt mit Puderzucker aussah. Mein Vater spürte, daß ich etwas auf dem Herzen hatte. Plötzlich stand er neben mir, er lächelte.

Die »junge Lara« (Tatjana Trieb) in der Schule

Mutter Kai (Emmanuelle Laborit) bringt ihre Tochter Lara (Tatjana Trieb)
zu Bett

Die Eltern (Emmanuelle Laborit und Howie Seago) mit ihrer Tochter
Lara (Tatjana Trieb) zu Besuch bei der Lehrerin Fräulein Mertens (Birge
Schade)

Lara (Tatjana Trieb) mit ihrem Vater Martin (Howie Seago) zu Weihnachten bei den Groß-eltern

Lara (Tatjana Trieb) bringt ihrer Mutter (Emmanuelle Laborit) das Fahr-radfahren bei

Lara (Tatjana Trieb) beim Gehörlosengottesdienst

Lara (Tatjana Trieb) und ihr Musiklehrer (Hubert Mulzer)

Lara (Sylvie Testud) und ihre Tante Clarissa (Sibylle Canonica)

Lara (Sylvie Testud) mit ihrer Mutter Kai (Emmanuelle Laborit) und ihrem Vater Martin (Howie Seago) in der Werkstatt des Vaters

Lara (Sylvie Testud) in den Armen ihres Onkels Gregor (Matthias Habich), kurz bevor dieser ihr vom Tod ihrer Mutter berichtet

Lara (Sylvie Testud) und ihr neuer Freund Tom (Hansa Czypionka)

Vater Martin (Howie Seago) bei der Aufnahmeprüfung seiner Tochter in die Musikhochschule   .

Die »große Lara« (Sylvie Testud) beim Schulkonzert

›Hast du dir schon diese schöne Nacht betrachtet? Du mußt dir die Dinge anschauen. Sie verändern sich schnell.‹

Ich lehnte mich an seine Schulter. Die Bewegungen seiner Hände waren leicht und schwungvoll, er sah mich mit leuchtenden Augen an. Ich spürte in diesem Augenblick besonders stark, wie sehr ich ihn liebhatte. Er fiel nie mit der Tür ins Haus, sondern spürte meinen Kummer auf seine sensible Weise – und war dann einfach da. Seine Nähe tat mir gut, und ich wollte ihm auf gar keinen Fall weh tun.

›In ein paar Tagen ist Frühlingsanfang. Der Schnee wird verschwinden.‹

Er hatte recht, ich nickte. Jahr um Jahr verstrich, ich war schon achtzehn Jahre lang auf dieser Welt, und viele Dinge erschienen mir selbstverständlich.

›Siehst du die Nacht? Siehst du den Schnee?‹

Seine Hände beschrieben einen Halbkreis.

›Wie klingt der Schnee? Was sagt er dir?‹

Unser altes Spiel. »Geräuscheraten«. Ich kam seiner Aufforderung nach.

›Er sagt ›knirsch, knirsch‹ und ›brr, brr‹ …‹

Mein Vater sah mich ratlos an.

›Was ist das? ›Knirsch‹ und ›brr‹? Was sind das für komische Wörter? Die kenne ich nicht. Sagt das der Schnee wirklich?‹

Ich mußte lachen.

›Also ehrlich gesagt, sagt der Schnee nicht viel. Man sagt sogar, daß der Schnee alle Geräusche verschluckt. Wenn Schnee liegt, ist alles viel leiser.‹

›Ist das wirklich wahr? Der Schnee macht die Welt leise?‹ Er bekam ein nachdenkliches Gesicht und kraulte sich seinen Bart. ›Das ist schön.‹

Ich sah ihn lächeln und wollte seine gute Laune nutzen.

›Clarissa war heute in der Schule.‹

Der Blick meines Vaters verdunkelte sich augenblicklich.

›Ich wußte nicht, daß sie hier ist‹, er wandte sich von mir ab.

Ich folgte ihm und suchte seine Aufmerksamkeit.

›Sie hat bald Geburtstag. Großvater will uns alle zum Essen einladen.‹

Mein Vater zeigte ein abweisendes Gesicht und wandte sich wieder dem Fernseher zu. Diesmal aber wollte ich ihn nicht entkommen lassen. Ich schob mich zwischen ihn und seine Arbeit und sah ihn mit weitaufgerissenen Augen an.

›Bitte komm mit, Papa. Mir zuliebe.‹

Sein Blick suchte den fallenden Schnee. Er wiegte seinen Kopf behutsam von rechts nach links, und als ich sein vertrautes Brummen vernahm, drückte ich seine Hand ganz fest. Ich hatte gewonnen. Er würde mitkommen. Die ganze Familie würde beisammen sein. Die Einladung nach Berlin verschwieg ich an diesem Abend. Ich konnte ihm unmöglich noch mehr Verständnis abverlangen.

6. Kapitel

Mein Großvater hatte ein vornehmes Restaurant gewählt. Aufmerksame Kellner umschwirrten uns. Kerzen warfen ihr sanftes Licht über den Tisch, und feine Stoffservietten lagen neben den Tellern. Mein Vater machte nicht den Eindruck, als er sei glücklich mit dem Verlauf des Abends.

Wie immer waren Kai und er von den Gesprächen bei Tisch ausgeschlossen. Niemand, außer Marie und ich, machte den Versuch, so deutlich zu sprechen, daß die beiden von ihren Lippen hätten lesen können, von Gebärden ganz zu schweigen. Man plauderte und lachte, und Martin und Kai fühlten sich wie Statisten, die in dieser Familie eigentlich nichts zu suchen hatten. Ich versuchte des öfteren, meinen Vater aufzumuntern, schließlich hatte ich die beiden überredet mitzukommen. Aber das war nicht leicht. Marie übersetzte ab und an ein paar Sätze für meine Eltern.

Mein Großvater fragte seine Kinder gern aus. Er wollte immer das gleiche wissen. Clarissa wurde bevorzugt nach ihrer abgebrochenen Musiker-Karriere gefragt und mein Vater, ob er finanziell im reinen sei oder ob er Geld brauche. Kurz: Mein Großvater verstand es noch immer mit traumwandlerischer Sicherheit, die Themen auf den Tisch zu bringen, die garantiert verletzten oder beschämten.

Anfangs war der Abend ruhig und friedlich verlaufen.

Aber dann fragte mein Großvater seine Tochter: »Was macht die Arbeit mit den Kindern?« Clarissa hatte für einige Zeit Kindern Klarinetten-Unterricht erteilt.

Sie trug ein schwarzes Kleid und sah zart und stark zugleich aus.

»Um ehrlich zu sein, ich denke, ich werde wieder aufhören mit dem Unterrichten.«

»Aber die kleine Keller hat doch wunderbare Fortschritte bei dir gemacht?« meinte meine Großmutter verbindlich.

»Julia ist vor einem Monat mit ihren Eltern nach Frankfurt gezogen«, sie machte eine vieldeutige Pause, und ihr Blick blieb an Gregor hängen, »und die anderen sind alle fürchterlich unbegabt. Das langweilt.«

Das war nicht die Antwort, die mein Großvater zu hören wünschte.

»Was sagst du denn dazu?« wandte er sich an Gregor.

Gregor schreckte aus seinen Gedanken hoch.

»Ich? Klar, sie hat zweifellos Talent für die Arbeit. Die Kinder lieben sie.«

Clarissa dankte ihrem Mann mit einem Kußmund. Das Familienoberhaupt meldete sich mit durchdringender Stimme wieder zu Wort.

»Du kannst doch nicht dein ganzes Leben nach dem Lustprinzip entscheiden. Irgendwas mußt du doch machen. Oder willst du jetzt nur noch das Geld von deinem Mann ausgeben?«

Ich fragte mich, ob in dieser Familie überhaupt jemals ein Abend ohne Streit über die Bühne gehen würde. Roberts scharfe Stimme war nicht dazu angetan, Clarissa milde zu stimmen.

»Das ist nicht fair«, zischte sie prompt, »ich habe mein Geld immer selbst verdient!«

»Ja, aber womit?« kam es vorwurfsvoll zurück.

»Es tut mir leid, daß ich deine Erwartungen nicht erfüllt habe, Papa.«

Gregor versuchte zu schlichten.

»Geld ist wirklich nicht der Punkt, Robert.«

»Jetzt hört doch auf mit der Streiterei. Schließlich ist heute Clarissas Geburtstag«, ließ Großmutter verlauten.

Aber Großvater kam nun erst richtig in Fahrt.

»Mein Gott«, stöhnte er auf, »schließlich ist heute Weihnachten. Schließlich ist heute Geburtstag ... Was kann ich dafür, daß wir uns nur an diesen dämlichen Feiertagen sehen?«

»Wir müssen doch nicht jedesmal über die gleichen Themen reden.«

Großmutter hatte noch nicht aufgegeben.

»Worüber sollen wir denn sonst reden?« erwiderte er.

»Du nennst es Reden. Ich nenne es Niedermachen. Aber das hatten wir ja schon ...«, meinte Clarissa. Ihre Stimme klang belegt. Sie griff nach ihrem Glas und kam Gregor zuvor, der es ihr gerade wegziehen wollte. Er erntete einen ärgerlichen Blick von ihr. Ich versuchte dem Kellner ein Zeichen zu geben. Der Kuchen ...

Marie versuchte den Wortwechsel für unsere Eltern zu übersetzen.

›Clarissa unterrichtet nicht mehr. Sie hat keine Lust mehr. Großvater ist sauer. Er findet, sie soll etwas arbeiten ...‹

»Wenn du eine Familie hättest ... Kinder. Ich frage mich, was machst du eigentlich den ganzen Tag?«

Lilli versuchte ihren Mann zu bremsen.

»Robert, bitte.«

»Ich hätte es wissen sollen«, meinte Clarissa resignierend, »es ist doch immer das gleiche.«

»Na, im Frühjahr hat sie dann ja genug zu tun«, Gregor

wollte seiner Frau zu Hilfe kommen, »wenn Lara bei uns wohnt.«

Er lächelte versöhnlich in die Runde. Ich zuckte zusammen. Marie sah mich groß an. Ich ergriff ihre Hand und drückte sie. Den letzten Satz durfte sie unter keinen Umständen übersetzen. Aber es war zu spät.

Der Stein war bereits ins Rollen gekommen.

»Hast du es ihnen noch nicht gesagt?« fragte Clarissa.

Ich stöhnte innerlich auf.

Gregor begriff nun, was er angerichtet hatte. Es wurde ihm klar, daß meine Eltern noch nichts von einer Reise nach Berlin wußten.

»Entschuldigung. Ich dachte, die Sache ist besprochen.«

Hatte mein Vater etwas gemerkt? Ich suchte seinen Blick in der Hoffnung, daß er sich auch weiterhin nicht sonderlich für das Gespräch interessierte.

»Von was redet ihr?« fragte Lilli, »jetzt macht es nicht so spannend. Was soll denn diese Geheimnistuerei?«

Zum Glück kam der Kellner mit dem Geburtstagskuchen. Vielleicht ging dieser Kelch ja noch einmal an mir vorüber. Der Kellner strahlte und setzte den Kuchen vor Clarissa ab. Ich stimmte »Happy Birthday to you …« an.

Niemand sang mit. Schnell verließ mich der Mut und die Stimme.

»Was hat Lara noch nicht gesagt?« wollte Robert wissen.

Ich versuchte zu retten, was zu retten war.

»Ich würde es ihnen lieber selbst sagen, Clarissa.«

Aber darauf ging sie nicht ein. Offensichtlich wollte sie die Sache zu einem Ende bringen.

»Dazu hast du lange genug Zeit gehabt. Du traust dich ja sowieso nicht. Also: Lara wird im Frühjahr bei mir wohnen und ab Herbst auf das Berliner Musikkonservatorium gehen. Ich werde sie auf die Prüfungen vorbereiten.«

Mit einem triumphierenden Gesichtsausdruck blies Clarissa die Kerzen auf ihrem Kuchen aus. Ich hätte unter den Tisch sinken mögen. Alle starrten mich an. Niemand sagte ein Wort. Mein Vater stieß Marie an. Was blieb ihr übrig? Sie übersetzte Clarissas Worte in Gebärden.

›Lara soll zu Clarissa nach Berlin ziehen. Sie soll da auf die Musikschule gehen.‹

»Nach Berlin?« meinte Großmutter, »gibt es denn da nichts, was ein bißchen näher liegt?«

Clarissa machte eine müde Handbewegung. Mein Vater begann erst langsam zu verstehen. Seine Miene verriet noch keine Reaktion.

»Ich halte das für eine gute Idee«, meldete sich Robert zu Wort, »Laras Talent sollte gefördert werden. Vielleicht macht ja wenigstens sie etwas draus.« Er richtete einen vielsagenden Blick auf Clarissa.

»Aber Berlin ist ja ewig weit weg«, krähte Marie, »da mußt du ja richtig da wohnen. Willst du etwa ausziehen?«

»Meine Güte, Lara ist achtzehn Jahre alt! Für jeden kommt irgendwann der Moment«, erwiderte Clarissa.

»Wenn Kai und Martin etwas dagegen haben, geht das Ganze natürlich nicht.« Gregor sprang in die Bresche.

»Mußt du mir immer in den Rücken fallen?« schoß sich Clarissa nun auf ihn ein.

Mein Vater zeigte noch immer keine Reaktion. Aufmerksam und gespannt beobachtete er das Geschehen.

»Ich, dir in den Rücken fallen? Ich kann doch von Glück reden, wenn ich in dieser Familie überhaupt mal zu Wort komme«, brummte Gregor und sog heftig an seiner Zigarette.

Marie übersetzte eifrig.

Mein Vater sah über Maries Hände hinweg. Ich kannte diesen Blick. Er ließ mich nicht los.

›Willst du das?‹ schrieben seine Hände in die Luft, ›willst du nach Berlin auf diese Schule gehen?‹

Oh Gott, was sollte ich ihm nur antworten? Konnte er sich nicht vorstellen, daß das auch für mich eine sehr schwierige Entscheidung war?

›Wieso weiß ich das nicht? Warum sagst du mir so was nicht selbst?‹ fuhr er fort.

Ich war den Tränen nahe. Ich wußte, daß ich einen Fehler gemacht hatte. Ich hatte Angst vor seiner Reaktion gehabt, Angst, er würde mir meinen Wunsch übelnehmen und als Verrat empfinden. Clarissa legte ihren Arm um meine Schultern, sicher, um mir zu helfen, aber damit machte sie alles nur noch schlimmer.

»Martin, laß sie in Ruhe. Sie ist eine verdammt gute Klarinettistin. Und ich will, daß sie gefördert wird!«

Robert nickte zufrieden mit dem Kopf. Das war ein Vorschlag, der ihm gefiel. Er wandte sich seinem Sohn zu und formulierte seine Worte mit deutlicher Lippenbewegung.

»Um das Finanzielle kümmern wir uns! Mach dir da keine Sorgen.«

»Lara muß endlich mal raus aus diesem Nest. Sie hat sich lange genug um euch gekümmert«, sagte Clarissa.

Ich versuchte erneut, Maries Übersetzung zu stoppen. Gregor zischte Clarissa etwas ins Ohr, aber vergebens.

»Die Schule ist genau das Richtige für sie. Ihr könntet sie ja schließlich auch einmal in Berlin besuchen.«

»Aber wir wollten doch nach Italien im Sommer«, maulte Marie, »alle zusammen!«

»Das ist jetzt wichtiger«, entschied Clarissa, »Martin und Kai müssen das endlich einsehen. Lara braucht nicht das Leben einer Behinderten zu leben, nur weil ihre Eltern behindert sind.«

Das war das Schlimmste, was sie hätte sagen können. Clarissa wußte es. Meine Eltern waren nicht behindert. Sie konnten nur nicht hören. Nichts haßte mein Vater mehr, als wenn man ihn zum hilfsbedürftigen Behinderten abstempelte. Er brauchte niemanden, und er wäre auch gut alleine mit seinem Leben klargekommen. Seine Augen waren den Mundbewegungen seiner Schwester gefolgt. Ich glaube, er spürte einen Teil, und den Rest las er von ihren Lippen ab. Jedenfalls kochte er vor Wut. Seine Augen verengten sich, auch die Hand meiner Mutter, die sich beruhigend auf seinen Arm legte, dämpfte seinen nun entflammten Zorn nicht. Unvermittelt griff er zu seinem Rotweinglas und schüttete Clarissa den Inhalt mit einer heftigen Bewegung ins Gesicht. Sie schrie auf und die Stimme meines Vaters, die wie ein Raubtier in seiner Kehle schlummerte, erwachte zu ungestümem Leben.

»Ich bin der Vater. Sie ist meine Tochter!«

Seine rauhe Stimme, seine unartikulierte Aussprache und die Lautstärke seiner Worte brachten alle zum Schweigen. Zu ungewohnt war es, ihn plötzlich sprechen zu hören. Ein paar Gesichter in dem Restaurant fuhren ebenfalls herum und blickten zu uns herüber.

»Martin, setz dich sofort wieder hin!«

Als wäre er immer noch das Familienoberhaupt, gab Großvater mit kalter Stimme den Befehl, aber sein Sohn hatte sich ihm schon vor langer Zeit entzogen. Mein Vater verließ den Tisch und strebte mit großen Schritten zum Ausgang des Restaurants. Ich sprang auf und lief hinter ihm her. Ich mußte mit ihm reden. So konnte ich ihn nicht gehen lassen. Drinnen ging der Streit weiter.

»Clarissa, du bist zu weit gegangen«, meinte Lilli.

»Ja, genau. Jetzt bin ich wieder schuld. Er kippt mir Rotwein ins Gesicht, und du verteidigst ihn auch noch. Ach, Scheiße«, fluchte Clarissa.

Es war ein kalter Abend. Mein Vater lehnte an einer Mauer und sah mit leerem Blick in das Licht einer Laterne. Er schien mich nicht zu sehen. Warum mußte er es mir immer so schwer machen? Begriff er denn nicht, daß ich nur geschwiegen hatte, weil ich seine Gefühle nicht verletzen wollte?

›Ich wollte es euch noch sagen, noch heute abend ... Clarissa war einfach nur schneller ...‹

Mein Vater reagierte nicht so, wie ich es mir gewünscht hätte. Er sah mich unwirsch an und wandte sich ab. Ich versuchte, mit ihm Schritt zu halten und seinen Blick einzufangen.

›Es ist noch überhaupt nichts entschieden! Clarissa will mich nur für die Aufnahmeprüfung anmelden. Weiter nichts. Sie will mir doch nur helfen.‹

Wir blieben mitten auf einer breiten Kopfsteinpflasterstraße stehen. Um uns war es still. Die Laternen warfen ihr Licht in die Nacht, und unsere langgezogenen Schatten zitterten erregt. Endlich blieb mein Vater stehen und wandte sich mir zu.

›Ich hasse diese Frau. Sie und ihr armseliges Leben. Worauf bildet sie sich eigentlich soviel ein?‹

›Sie bildet sich doch gar nichts ein. Das ist doch Quatsch.‹

Warum nur war der Graben zwischen meinem Vater und seiner Schwester so tief? Warum blieb er für ihn unüberwindbar, selbst wenn es um seine Tochter ging.

›Meinst du, Mama und du, ihr kommt ohne mich zurecht?‹

Mein Vater stürmte los. Sein Ausdruck war wütend und aggressiv, ebenso wie seine Handbewegungen.

›Spiel dich nicht auf wie eine Krankenschwester. Wenn

du gehen willst, dann geh. Was meinst du, wie wir früher zurechtgekommen sind? Als du ein Baby warst? Natürlich kommen wir ohne dich zurecht. Darum geht es doch gar nicht!‹

Ich verstand nun gar nichts mehr. Mein Vater drehte mir den Rücken zu.

›Ja, wenn es darum nicht geht, worum geht's dann?‹

Hatte er gespürt, daß ich noch etwas sagte? Ich weiß es nicht. Oft blieb mir seine Fähigkeit, Dinge zu erspüren, ein Rätsel. Jedenfalls wandte er sich um und sah mich müde und traurig an.

›Ich habe ihnen wieder einmal den Abend verdorben‹, deutete er mir, ›ich habe sie blamiert. Wie immer. Nie war ich gut genug für diese Familie. Sie haben sich geschämt.‹

Ich mußte daran denken, was er mir über seine Kindheit erzählt hatte, an das Unverständnis, das ihm entgegengebracht wurde, und an die Unfähigkeit von Robert und Lilli, auf seine Gehörlosigkeit einzugehen. Sie hatten Dinge von ihm verlangt, die ihm nie gelingen konnten: so ›hörend‹ wie möglich zu sein. Zu sprechen, und zwar in ihrer Sprache. Eine Sprache, die ihm nichts bedeutete – nichts bedeuten konnte. Das mußte ihn erniedrigen.

Warum hatten sie ihn bloß nicht früher die Gebärdensprache lernen lassen? Warum hatten sie nicht versucht, mit ihm in der Sprache zu reden, in der er sich mitteilen konnte? Warum verstehen so viele hörende Eltern gehörloser Kinder nicht, daß ihren Kindern eine ihnen gemäße Kommunikation nicht vorenthalten werden darf? Warum suchen sie nicht eine gemeinsame Sprache, in der sie gemeinsam träumen, lachen und streiten können? Ich wollte Martin zeigen, daß ich auf seiner Seite stand.

›Und wenn schon. Dann haben sie sich eben für dich geschämt. Das ist doch völlig unwichtig.‹

›Warum gehst du zu Clarissa? Kannst du dir nicht denken, wie weh es mir tut, wenn du ausgerechnet zu ihr gehst?‹ fragte mich mein Vater.

›Papa, ich will Musikerin werden, sonst nichts‹, gab ich zurück. ›Versteh mich doch.‹

Wir waren bei unserem Wagen angekommen. Mein Vater schloß die Tür auf. Er blickte über das Autodach.

Nach einem kurzen Moment des Nachdenkens deutete er zu mir, und ich sprach die Worte laut mit.

›Manchmal wünschte ich, du wärst auch gehörlos. Dann wärst du wirklich in meiner Welt.‹

Der Winter hatte seinen kalten Atem ausgehaucht. Morgens, wenn ich aufstand, durchflutete das Sonnenlicht mein Zimmer. Die Blätter an den Bäumen grünten, und überall in unserem Garten zeigte sich der Frühling in seiner ganzen Pracht. Meine Entscheidung war gefallen. Ich würde nach Berlin zu Tante Clarissa gehen. Nach den vielen Zweifeln war ich nun froh, eine Entscheidung getroffen zu haben. Natürlich hatte ich Angst, und ich fragte mich, was mich in der großen Stadt alles erwarten würde. Gleichzeitig wuchsen jeden Tag in mir die Neugier und Vorfreude auf das Kommende. Der Tag des Abschieds rückte näher, und wir lebten so zusammen, als würde es kein Morgen geben. Erst als ich begann, meinen Koffer zu packen, wurde es uns allen bewußt, daß ich nun in mein eigenes Leben startete. Es war ein schöner Abend, das Fenster stand offen, die warme Abendsonne bahnte sich ihren Weg in das Zimmer, meine Schwester Marie saß auf der Fensterbank und verfolgte traurig das Geschehen. Ich stand vor meinem offenen Schrank und suchte die Sachen zusammen, die ich mitnehmen wollte.

»Gibst du mir mal die Pullover, die auf dem Bett liegen?« bat ich Marie. Sie reichte mir den Stapel herüber.

»Ich finde das echt gemein«, maulte sie, »daß du fährst ...
Jetzt muß ich die ganzen Liebesfilme für Mama übersetzen.«
Ich sah sie an. Sie war groß geworden. Sie hatte flachs-
blonde, schulterlange Haare und braune Augen, die herausfordernd in die Welt guckten. Sie war sehr neugierig, ziemlich aufsässig und faul. Doch in der Schule war sie besser als
ich. Aber sie hatte ja auch jemanden, der mit ihr Lesen und
Schreiben übte.

»Stell dich nicht so an, du hilfst sowieso viel zu wenig.
Außerdem darfst du dann wenigstens lange aufbleiben!«

»Ich hasse Clarissa«, stieß sie unwillig hervor.

Das konnte ich gerade gebrauchen.

»Jetzt fang du auch noch an. Sie unterstützt mich bei meiner Musik.«

»Scheiß-Musik.«

Manchmal vergaß sie, daß sie meine kleine Schwester und
ich die Stärkere war. Aber sie sah mich unbeeindruckt an, ver-
schränkte ihre Arme hinter dem Kopf und streckte sich auf
dem Bett aus.

»Darf ich in deinem Bett schlafen, solange du weg bist?«

Ich zuckte mit den Schultern und fuhr fort, meinen Koffer zu packen.

»Wenn's dir Spaß macht ...«

In diesem Moment sah meine Mutter zur Tür rein. Sie trug
einen Stapel Wäsche auf dem Arm und scheuchte meine
kleine Schwester vom Bett.

›Was machst du denn hier oben? In der Küche liegen deine
Schulaufgaben.‹

Marie turnte über meine gefalteten Kleider hinweg und
stöhnte.

»Warum reden eigentlich alle Eltern immer nur von Schulaufgaben?«

Sie polterte die Treppe hinunter. Plötzlich hörte ich meine Mutter auf den Boden stampfen. Ich drehte mich zu ihr um. Sie stand vor meinem Spiegel. Ich betrachtete ihr Spiegelbild und sah mich selbst, wie ich hinter ihr stand, mit vor der Brust verschränkten Armen. Die Hände meiner Mutter begannen ihren eigenen Tanz.

›Als ich klein war, habe ich fest geglaubt, daß alle Menschen, wenn sie groß sind, singen können. Ich dachte, wenn ich erwachsen bin, dann kann ich das auch.‹

›Ich habe mich oft vor einen Spiegel gestellt und meinen Mund bewegt und mir vorgestellt, daß daraus wunderschöne Töne schlüpfen. Töne, die die Menschen glücklich und verzückt aussehen lassen. Musik!‹ Sie bewegte ihre Hände mit der Anmut einer Dirigentin. ›Ich habe getanzt vor dem Spiegel und mir wie jetzt eine Bürste vor den Mund gehalten.‹

Ihr Oberkörper bewegte sich im Rhythmus der imaginären Musik hin und her. Sie hatte ihre Augen geschlossen, ihre Hand hielt die Mikrofon-Bürste, und ihr Gesicht hatte einen träumerischen Ausdruck bekommen. Sie öffnete die Augen und sah mich im Spiegel an. Wir mußten beide lächeln und fühlten uns wie zwei Verbündete. Sie drehte sich zu mir um und zog zwei Karten aus ihrer Jacke und hielt sie mir hin.

›Was ist das, Mama?‹ fragte ich.

›Ich weiß nicht, ob es die Art Musik ist, die dir gefällt, aber vielleicht ist es ja nicht so schlecht. Es ist ein Klarinettenkonzert, im Juli erst. Ich habe davon in der Zeitung gelesen!‹

Unsicher versuchte sie an meiner Reaktion abzulesen, ob sie mir mit dem Konzert eine Freude gemacht hatte.

›Doch sicher, das ist bestimmt sehr gut. Aber wieso zwei Karten?‹

›Ich dachte, vielleicht kann ich ja mitkommen. Wenn du willst, machen wir uns beide einen schönen Abend!‹

Ein Glücksgefühl durchströmte mich. Ich lächelte meine Mutter an.

Das war das schönste Geschenk, das sie mir hatte machen können.

›Ja. Wir werden uns einen schönen Abend machen, Mama. Ich fände es wunderbar, wenn du mitkommst.‹

Sie öffnete die Zimmertür. Ich stampfte erneut auf. Unsere Blicke trafen sich. Ich wedelte mit den Karten durch die Luft.

›Danke, Mama.‹

Meine Mutter sah in diesem Augenblick sehr jung und schön aus. Sie strahlte und aus ihren Augen las ich: ›Geh deinen Weg, und wenn dein Weg die Musik ist, dann ist es gut so – und ich werde dich auch in dieser Entscheidung, so gut ich kann, unterstützen.‹

Meine Mutter brachte mir sehr viel Verständnis und Vertrauen entgegen. Mir wurde bewußt, was ich für ein Glück mit ihr hatte.

7. Kapitel

Berlin, ein neues Leben. Bereits während der Zugfahrt beeindruckte mich die Größe. Ich fuhr vorbei an Vororten, die allein schon so groß wie unsere Kleinstadt waren. Die letzten Meter drückte ich mir am Fenster die Nase platt und bestaunte das bunte Treiben auf den Straßen.

Manche Dinge waren so, wie ich sie mir vorgestellt hatte, andere Dinge wiederum entsprachen überhaupt nicht meinen Erwartungen. Auf den Bahnsteigen herrschte ein aufgeregtes Kommen und Gehen, ich war überrascht und erleichtert, als ich Gregor in der Menge erspähte. Eigentlich wollte mich Clarissa abholen, aber natürlich freute ich mich ebensosehr, Gregor zu sehen, der mich liebevoll begrüßte.

Und dann der Lärm – ein Rauschen, Brummen, Kreischen, Läuten, scheppernde Stimmen, fremde Sprachen, die Autos, Busse und Züge, die Sirenen und die Hupen, es war viel lauter als in unserer kleinen, verschlafenen Stadt. Die Menschen machten einen gehetzten Eindruck, jeder strebte eilig vorwärts. Unendlich viel stürmte auf mich ein. Gregor führte mich zu seinem Wagen.

»Warum ist Clarissa nicht mit zum Bahnhof gekommen?« wollte ich von ihm wissen.

Mit unbestimmtem Gesichtsausdruck murmelte er:

»Es geht ihr nicht besonders gut heute morgen. Nichts Ernstes! Ab Sonnenuntergang geht's ihr meistens wieder besser.«

Wir fuhren durch breite Straßen und hielten vor einem prachtvollen Altbau. Hier wohnten sie also. Leider mußten wir die Treppe nehmen, da Gregor keinen Schlüssel für den Fahrstuhl dabeihatte, echt Jugendstil, wie er erklärte. Das tat meiner Abenteuerlust keinen Abbruch. Mit großen Sätzen sprang ich die Stufen hoch.

Es war fast Mittag, und in Clarissas Schlafzimmer waren die Vorhänge noch zugezogen. Ich war sprachlos. Ich zog die schweren Vorhänge auf, und das Sonnenlicht verscheuchte die düstere Atmosphäre. Aus dem Bett war ein unwirsches Brummen zu hören.

»Weißt du eigentlich, wieviel Uhr es ist?« fragte ich mit ironisch-vorwurfsvoller Stimme.

Clarissa reagierte endlich.

»Lara! Bist du endlich da?«

Sie richtete sich auf und rieb sich die Augen. Ihre roten Haare sahen zersaust aus. Wer war hier das kleine Mädchen? Ich? Oder sie? Ich beugte mich zu ihr herunter, wir küßten uns. Ich hatte lange im Zug gesessen, jetzt wollte ich etwas unternehmen. Ich wollte keine Tante, die wie ein Trauerkloß im Bett lag.

»Los, komm, steh auf. Ich will die Stadt sehen.«

Clarissa schüttelte den Kopf, um wach zu werden. Sie gähnte und starrte mich groß an.

»Du willst die Stadt sehen«, wiederholte sie wie ein Echo.

Ich zog an ihrer Bettdecke.

»Jetzt hast du mich den langen Weg hierher gelockt, jetzt will ich auch die Stadt sehen.«

Clarissa machte keine Anstalten aufzustehen. Sie streckte sich wieder aus, und es bedurfte noch einiger Überzeugungsarbeit, bis ich sie zu einer Stadtrundfahrt überredet hatte.

Ich hatte mich getäuscht, die Stadt war nicht groß, sie war riesig. Wir verbrachten Stunden in Clarissas offenem Wagen, zogen die Blicke der Männer auf uns und genossen das Leben in vollen Zügen. Wir fuhren durchs Brandenburger Tor (was nicht erlaubt ist, unsere Freude aber erhöhte), machten Läden unsicher, besichtigten die Narben der Vergangenheit, die Baustellen der Zukunft, den Potsdamer Platz, die Gedächtniskirche, besahen uns die Stadt bei einer Bootsfahrt vom Wasser aus und bestaunten den pulsierenden Verkehr. Große Alleen zerschnitten die Stadt in Kuchenstücke, und ich wußte nie, wohin ich zuerst blicken sollte. Es gab so vieles zu entdecken. Die Luft roch anders, und die Menschenmengen waren beeindruckend. Als es abend wurde, kehrten wir in ein Café neben einem alten Wasserturm ein und aßen eine Kleinigkeit.

Als Clarissa mir anschließend das Konservatorium zeigte, an dem ich studieren sollte, verstummte ich für einen Augenblick. Ein beeindruckendes, altes Gebäude zog an uns vorüber. Clarissa ließ mir keine Zeit, lange nachzudenken. Sie steuerte ein weiteres Café an. Dort schien sie sich bestens auszukennen. Jazzmusik hallte durch den Raum. Ich hatte Mühe, ihr zu folgen, so schnell schob sie sich durch das Gedränge. Ein Mann an einem Tisch am Ende des Raumes sprang auf und begrüßte sie.

»Hej, Clarissa, schön, daß ihr kommt.«

Er küßte Clarissa auf die Lippen. Daß er Walter hieß, erfuhr ich später. Ich war erstaunt, ich dachte, Clarissas Lippen seien nur für Gregor bestimmt. Aber ich war ja ein Neuling in der

Großstadt, hier herrschten anscheinend andere Gesetze. Clarissa stellte mich vor.

»Walter, das ist Lara, meine Nichte. Lara, Anna, Wolfgang, Timon.«

Die anderen begrüßten mich freundlich und rutschten alle zusammen, so daß wir uns zu ihnen setzen konnten. Ich sah mich um. Die Menschen waren anders als bei uns in der Stadt. Sie waren modischer angezogen, und sie bewegten sich lässiger. Viele waren jung, wenn auch etwas älter als ich, und sahen gut aus. Clarissa schien eine der Älteren zu sein, aber sie genoß es, im Mittelpunkt zu stehen. Der Kellner brachte uns zwei Martini. Martini! Den kannte ich nur aus einem James-Bond-Film, den ich einmal für meinen Vater gedolmetscht hatte. Er schmeckte ziemlich süß. Ich beobachtete einige Jazzmusiker, die auf einer kleinen Bühne entspannt ihre Instrumente spielten. Ich war in der Großstadt angekommen. Das Leben lag mir zu Füßen. Ich strahlte Clarissa an. Sie bemerkte meine Dankbarkeit und legte stolz einen Arm um mich.

»Sie will aufs Konservatorium. Jetzt müssen wir sie erst mal an unser Leben gewöhnen.«

Walter sah mich unergründlich an. Ich wurde nicht schlau aus ihm.

»Du bist Musikerin?« fragte er.

»Bis jetzt noch nicht …«, grinste ich.

»Sie spielt Klarinette«, ergänzte Clarissa, »und zwar sehr gut.«

Die Band auf der Bühne machte eine Pause. Wir klatschten alle wie wild. Eines der Mädchen am Tisch beugte sich zu uns.

»Mensch, Clarissa, spielt doch mal was zusammen. Los. Laß doch mal sehen, was sie so kann – deine Nichte.«

Das ging mir denn doch zu schnell. Immerhin war ich gerade erst angekommen. Ich nahm hektisch einen Schluck aus meinem Glas, vergaß, daß es sich um Martini handelte, und verschluckte mich um ein Haar an der Kirsche. Ich mußte husten. Clarissa schlug mir sanft auf den Rücken. Auch die anderen am Tisch wünschten, daß wir zusammen spielten. Ich hatte den Eindruck, Clarissa hätte das mit ihnen abgesprochen, sie schien die Situation zu genießen. Sie schlug mir leise ein Stück vor.

»Keine Ahnung«, versuchte ich mich aus der Schlinge zu befreien, »das habe ich schon ewig nicht mehr gespielt.«

Aber sie beachtete mich gar nicht, fegte meine Zweifel beiseite, lachte, ergriff meine Hand und zog mich zur Bühne. Sie wechselte ein paar Worte mit den Männern der Band, und plötzlich tauchten aus dem Nichts zwei Klarinetten auf. Ich hätte vor Scham in den Boden versinken können. Alle diese schönen jungen Menschen starrten mich an. Ich hatte Clarissa selten so aufgedreht erlebt. Sie winkte ihren Freunden am Tisch zu, strich sich die Haare aus der Stirn und sah mich aufmunternd an.

»Auf, Schätzchen, an so was wirst du dich gewöhnen müssen.«

Ich schluckte, doch es gab kein Entkommen. Die Band gab den Takt vor. Clarissa setzte ihr Instrument an und fing an zu spielen. Sie gab mir ein Zeichen für meinen Einsatz. Ich folgte ihr und konzentrierte mich auf die Musik. Die Gespräche im Café verstummten. Alle hörten uns zu. Das Stück verlangte mir alles ab, so hatte ich nicht einmal die Gelegenheit, rot zu werden. Außerdem wollte ich Clarissa nicht blamieren. Wie in Trance nahm ich schließlich wahr, daß wir geendet hatten. Ich glühte innerlich, alle klatschten begeistert, Clarissa schenkte mir ihren berühmten triumphierenden Blick – sie schien sehr zufrieden.

Clarissa konnte aber auch ausgesprochen launisch sein. Wir übten jeden Tag, sie stand oft erst sehr spät auf, und es dauerte immer eine Weile, bis sie sich zurechtfand. Gregor saß schon frühmorgens an seinem alten schwarzen Eichenschreibtisch und schrieb. Sie war eine strenge Lehrerin, und ich hatte es nicht einfach mit ihr.

Ihre Wohnung war sehr geschmackvoll eingerichtet. Irgendwie merkte man, daß dort keine Kinder lebten. Jeder Gegenstand war schön und wichtig, alles hatte seinen Platz, die Bilder paßten zu den Vorhängen, die Teppiche waren auf die Möbel abgestimmt, die Servietten waren immer frisch gebügelt, und ein Stapel bunter Zeitungen, in denen sich selbstbewußte Egoisten zelebrierten, lag geordnet in einem Stahlständer. Nicht, daß Clarissa die Hausarbeit erfunden hätte: Frau Schubert, eine runde gemütliche Frau, erschien jeden Tag und kümmerte sich um alles. Natürlich fand ich das nach unserem häuslichen Durcheinander großartig, aber manchmal vermißte ich doch unser schönes, lebendiges Chaos. Clarissa hatte allen Dingen einen bestimmten Platz zugewiesen, und wenn Gregor, der sich manchmal einen Spaß daraus machte, sie zu ärgern, eine Plastik verstellte oder ein Bild umhängte, dann wurde sie fuchsteufelswild. Überhaupt schien sich das Verhältnis zwischen den beiden schon seit geraumer Zeit etwas abgekühlt zu haben. Sie bemühten sich zwar, das vor mir zu verbergen, aber es gelang ihnen nicht. Manchmal stöberte ich Gregor morgens auf dem Sofa auf, und wenn er dann etwas von ›viel Arbeit‹ murmelte, dann wußte ich, daß es in ihrer Beziehung knirschte.

Clarissa saß auf einem stilvollen Sofa und lauschte meiner Musik, während ich in der Mitte des Raumes stand und spielte. Ich fühlte mich ihrem Urteil ausgeliefert.

»Und? Was denkst du?«

Clarissa wandte mir ihr schönes Gesicht zu.

Ein leichter Schleier lag über ihren Augen.

»Du spielst es zu … schlampig. Die Töne sind nicht sauber geblasen.«

Ihr Unterton war nicht zu überhören.

»Ist das alles?«

»Ich mag dieses melancholische Zeug nicht. Es verdirbt einem die Stimmung für den ganzen Tag. Ich verstehe nicht, was dich daran so interessiert. Ich in deinem Alter habe ganz andere Sachen gespielt …«

Das war es also. Warum nahm mich niemand so, wie ich war? Warum teilte niemand meine Liebe zu dieser Art von Musik? Ich war enttäuscht. Clarissa, die mir auf einmal sehr kalt vorkam, zündete sich eine Zigarette an.

»Aber mach dir keine Sorgen. Ich werde ein paar schöne Stücke für dich aussuchen.«

»Ich weiß nicht, ob ich etwas anderes spielen will. Die Musik gefällt mir.«

Ich hielt ihrem Blick stand. Sie betrachtete mich musternd und forschend zugleich, so als hätte sie nicht mit meinem Widerspruch gerechnet.

»Damit wirst du es nicht schaffen«, konstatierte sie.

Sagte sie das mit Absicht? Wußte sie so wenig über mich, über die menschliche Psyche, daß ihr nicht klar war, daß das meinen Ehrgeiz, meine eigene Musik zu spielen, erst richtig anstacheln würde? Gehörte auch sie zu den Menschen, die das Recht auf Wahrheit gepachtet haben? Ich ärgerte mich. Ich war entschlossen, ihr die Stirn zu bieten.

»Wer sagt das?« Nun wollte ich es genau wissen.

»Ich. Willst du die Kommission zu Tode deprimieren? Ich dachte, sie sollen dich aufnehmen.«

»Clarissa, das ist doch völliger Blödsinn«, ich mußte ihr meine Meinung sagen, es konnte doch nicht wahr sein, daß sie so etwas glaubte. »Die größten Komponisten haben …« Sie schnitt mir kurz und bündig das Wort ab.

»Entweder du richtest dich nach mir, oder du kannst es allein probieren!«

Ohne mich eines weiteren Blickes zu würdigen, drückte sie ihre Zigarette im Aschenbecher aus und schwebte aus dem Raum. Ich war perplex. Wieder stand ich vor einer Mauer, die ich nicht aufgebaut hatte. Begriff denn niemand, daß ich ein eigenständiger Mensch war, der seinen eigenen Zielen folgen mußte?

Die Spannung zwischen Gregor und Clarissa wuchs. Ich hätte ihnen gerne geholfen, wußte aber nicht wie. Gregor wurde zusehends übellauniger und unrasierter, und Clarissa schien ein heimliches Vergnügen dabei zu empfinden, seinen Zustand noch zu verschlechtern. Manchmal tat er mir leid. Er war so ein warmer, verständnisvoller Mensch, und Clarissa konnte so kalt sein …

Ich entdeckte neue Seiten an ihr, die mich nicht begeisterten; und langsam, ganz gegen meinen Willen, bekam das Bild von ihr, der klugen, selbstbewußten Frau, die so lange mein Vorbild gewesen war, heftige Risse. Ich war hin- und hergerissen. Zu wem sollte ich halten? Lange würde das nicht mehr gut gehen.

Ich hatte mich nicht getäuscht. Eines Nachmittags, ich kam von einem Stadtbummel zurück und wollte gerade die Straße überqueren, da sah ich sie aus der Haustür treten. Sie waren beide sichtbar erregt. Ich hatte keine Lust, mich einzumischen, und versteckte mich hinter einer Säule.

Clarissa redete mit Händen und Füßen auf Gregor ein, er

aber schob sie einfach weg, öffnete die Heckklappe seines Wagens und schleuderte zwei große Reisetaschen hinein. Es gab noch einen kurzen Disput. Ich sah ihre Beziehung förmlich auf dem Asphalt in tausend Stücke zerspringen. Gregor stieg in seinen Wagen und fuhr davon. Clarissa sah ihm bewegungslos hinterher. Mir war die Lust vergangen, in die Wohnung zurückzukehren. Nach Gregors Auszug würde sie noch schöner, kälter und leerer sein. Ich atmete tief durch. Hoffentlich war es nicht meine Schuld.

Ich machte auf der Stelle kehrt und lief durch die Stadt.

8. Kapitel

Traurig ließ ich mich durch die Stadt treiben. Ich mochte Clarissa, und ich mochte Gregor. Berlin erschien mir kalt, grau und unfreundlich. Meine Blicke streiften die Schaufenster, ohne den Gegenständen, die hinter den Scheiben lagen, Beachtung zu schenken. Ziellos lief ich durch die Straßen, bis ich zu einem kleinen Platz kam, an dem viele Stände aufgebaut worden waren. Ich fühlte mich an unseren Marktplatz erinnert. Zum erstenmal verspürte ich Heimweh. Ich sehnte mich nach dem fröhlichen Gesicht meiner Mutter, nach den warmen Händen meines Vaters und nach dem frechen Grinsen meiner Schwester. Ich vermißte die nette, freundliche Art der Menschen bei uns und die Behäbigkeit, mit der die Tage abliefen. Plötzlich fühlte ich mich fremd und einsam.

Aber dann passierte etwas, das sich wie ein Lichtstrahl in meinen düsteren Horizont schob. Ich sah einen Mann, der einem kleinen Mädchen etwas zu erklären versuchte. Die Art, wie er mit ihm redete, fesselte meinen Blick. Er sprach mit seinen Händen zu der Kleinen. Leicht und schwungvoll schrieben seine Hände Wörter und Gefühle in die Luft. Diese wunderschönen Gesten. Er redete in meiner zweiten Sprache zu ihr. Mit meiner Zeichensprache. Jeder, der diese Sprache beherrscht, spricht seinen eigenen Stil, manche drücken sich umständlich aus, andere kommen sofort zum Thema, schneller, als man es oft mit Worten ausdrücken könnte. Menschen, die reden können, haben diese Verbundenheit untereinander nicht. Gehörlose aber sind sich, auch wenn sie sich das erstemal sehen, sehr nahe, und es findet sofort ein intensiver Austausch statt, ohne viele Floskeln.

Ich spielte Detektiv und beobachtete die beiden. Mein Herz öffnete sich. Wie unbeschwert die beiden miteinander scherzten und plauderten. Der Mann nahm das Mädchen auf seine Schultern. Sie verließen den kleinen Marktplatz und bogen in eine Seitenstraße ein. Ich konnte nicht anders. Ich mußte ihnen folgen. Schließlich gingen sie in ein Spielzeuggeschäft. Sie sahen sich Puppen an. Ich stand draußen vor dem Fenster und starrte hinein. Ich mußte es tun. Der Mann, der gerade mit einer Handpuppe herumalberte, bemerkte mich. Er zog die Augenbrauen hoch. Ich gab mich zu erkennen. Auch ich gehörte dem Geheimbund derjenigen an, die die Gebärdensprache beherrschen.

›Blöd, wenn man so angestarrt wird, was? Ich habe euch beobachtet.‹

Meine Hände vollführten die Bewegungen, als ob es das Selbstverständlichste auf der Welt wäre.

Der Mann lächelte.

›Ich habe es bemerkt‹, signalisierte er zurück.

Ich ging in den Laden. Nun registrierte mich auch das kleine Mädchen. Es sah mich offen an, ihre Hände sprachen zu mir.

›Hallo. Ich bin Johanna. Wer bist du?‹

›Lara.‹

›Hallo. Tom.‹

›Eigentlich wollten wir in den Park … Ich darf nur mal kurz

gucken‹, deutete das Mädchen mit einem schnellen Seitenblick zu dem Mann. Er beugte sich zu ihr herunter.

›Mal kurz gucken. Genau. Und „kurz" ist jetzt gleich um.‹ Johanna wendete sich den Spielsachen zu. Wir sahen uns neugierig an. War der Mann der Vater des Mädchens? Dafür war er eigentlich zu jung. Das Hemd hing über der Jeans, er trug eine bequeme gelbe Jacke, und seine dicken schwarzen Haare hatte er zum Pferdeschwanz gebunden.

Eine Verkäuferin unterbrach unsere gegenseitige Musterung.

»Kann ich helfen?« fragte sie.

»Danke, wir schauen uns bloß um«, antwortete Tom laut. Er konnte sprechen. Mir blieb die Spucke weg.

»Bist du gar nicht gehörlos?« fragte ich überrascht.

»Ich?« Tom war ebenso überrascht wie ich. »Nein! Du?«

Wir lachten beide. Johanna kam aus einer Ecke des Ladens zurück. Sie hatte nicht das gefunden, was sie suchte. Nun hatte ich durch Zufall jemanden entdeckt, mit dem ich in meinen beiden Sprachen reden konnte. Berlin war wieder eine tolle Stadt. Ich hatte keine Pläne, also blieben wir noch etwas zusammen. Wir gingen zu dritt in einen Park, Tom spendierte eine Runde Eis bei einem Italiener.

»Mein Vater ist gehörlos. Er hat mich allein großgezogen. Und jetzt bin ich Lehrer an einer Gehörlosenschule«, erzählte er, während wir über die Wiesen bummelten, »Johanna ist eine meiner Schülerinnen. Eigentlich sollten wir ja Artikulation üben heute ...«

Die ganze Zeit, während er sprach, deutete er die Worte für Johanna, die ihn aufmerksam musterte. Sie wandte sich zu mir und deutete auf Tom und machte ein ›Top-Zeichen‹, um auszudrücken, daß er ein ziemlich guter Lehrer sei.

»Und du? Warum kannst du so gut die Zeichensprache?«

Ich erzählte ihm von meinen Eltern und von meinem Zuhause. Wir brachten Johanna zusammen in die Schule zurück, und ich freute mich über diese unbeschwerte Zeit, die wir verbrachten. Niemand wollte etwas von mir, und niemand stellte irgendwelche Ansprüche an mich. Clarissa war selten entspannt. Ich hatte bei ihr ständig das Gefühl, unter Druck zu stehen, etwas leisten zu müssen. Draußen wurde es langsam dunkel, die Straßenlampen schalteten sich an, und wir ließen uns durch die Stadt treiben.

»… in zwei Monaten bin ich sowieso weg«, meinte Tom. »Ich gehe für ein Semester nach Washington. Da gibt es eine Universität nur für Gehörlose. Die studieren da alles. Medizin, Kunstgeschichte, Jura. Alles in Zeichensprache. Die Amerikaner sind uns mindestens zwanzig Jahre voraus … Sie haben die Gebärdensprache längst als vollwertige Sprache anerkannt.«

Anfang des 17. Jahrhunderts erfand ein spanischer Mönch die Grundformen der Gebärdensprache, die ein französischer Abt später weiter entwickelte. Einer seiner Bewunderer war König Ludwig XVI. Im 19. Jahrhundert schlug dann die Stimmung um. Die Gebärdensprache wurde verboten, Gehörlose wurden darauf gedrillt, von den Lippen zu lesen und selbst mühsam Sätze zu formulieren. In Europa kam es erst in den letzten zwanzig Jahren wieder zu einer Anerkennung der Gebärdensprache, und das ermöglichte den Gehörlosen, wieder ein angemessenes Leben zu führen. Helen Keller, eine beeindruckende taubblinde amerikanische Autorin, erfaßte das Problem mit dem Satz:

»Blindheit schließt Menschen von Dingen aus, Taubheit schließt Menschen von Menschen aus.«

Die Art, wie Tom mit seiner Situation umging, war ungewohnt für mich. Er sprach so selbstverständlich über sich,

Gehörlosigkeit, seine Pläne und die Schule. Das kannte ich von zu Hause nicht. Meine Eltern hatten sich mit ihrer Gehörlosigkeit eingerichtet, sich ihre eigene Welt geschaffen, und ihr Interesse an der Welt der Hörenden war nicht allzu groß. Sie hatten genug Verletzungen erlitten und gelernt, sich zu schützen.

Tom schien völlig anders mit seiner Situation als Kind gehörloser Eltern umgehen zu können. Er war neugierig auf alles und machte keinen Unterschied, ob jemand nun hörte oder nicht.

»Ich habe mir immer gewünscht, einen Vater zu haben, auf den ich stolz sein kann. Einer, der mich gegen die Welt verteidigt und mir vor dem Schlafengehen Lieder vorsingt«, erzählte ich. Ich hatte nicht das Gefühl, als müsse ich vor Tom irgend etwas verbergen. Er war mir vertraut, und wenn er mich aus seinen dunklen Augen ansah, wurde ich ganz schwach in den Knien.

»Einer, der nicht verstehen kann, was du an *Guns 'n Roses* besser findest als an Beethoven?«

»Genau. Schön, daß du mich verstehst«, antwortete ich.

Seine Augen waren grün-grau, die Iris war gesprenkelt, und seine Wimpern waren länger als meine. Er war nahe an meinem Gesicht. Ich erschrak innerlich, obwohl er nur aus Lächeln und Freundlichkeit zu bestehen schien. Ein Blick auf meine Uhr erinnerte mich an meine Verpflichtungen.

»Um Gottes willen. Es ist schon spät. Ich muß heim.«

Tom nickte nur leise. Er protestierte weder, noch versuchte er mich zu überreden zu bleiben. Nur seine beiden Grübchen auf den Wangen vertieften sich.

»Hmm ... ganz schön spät«, lachte er.

Er hielt mich am Arm fest, bevor ich davonlaufen konnte.

»Kommst du mich mal besuchen? In der Schule, meine ich? Ich bin jeden Tag da.«

»Vielleicht«, antwortete ich ausweichend, und dann ging er in die eine Richtung davon und ich in die andere. Ob er sich umdrehte? Ich drehte mich nicht um, aber meine Schritte wurden schneller und schneller, und dann lief ich in langen Sätzen nach Hause. Diese Augen.

Die Wohnung war kalt und dunkel. Es roch noch nach Gregor, nach seinen Zigaretten, wo er wohl geblieben war? Und wo war Clarissa? Mir gingen zu viele Dinge durch den Kopf, als daß ich ruhig hätte ins Bett gehen können. Ich stand am Fenster, und ich dachte nach. Die helle Nacht war wolkenlos und mild.

Ich erinnerte mich an einen Ausflug mit dem Rad, den ich mit Clarissa unternommen hatte.

Wir waren zu einem kleinen, malerisch gelegenen See mitten in der Stadt gefahren, in dem Clarissa immer schwimmen ging. Für sie war das der einzige Ort, an dem sie wehmütig wurde. Er erinnerte sie an das Zuhause ihrer Kindheit. Im Winter, wenn er zugefroren war, lief sie dort oft Schlittschuh. Man konnte den See zu Fuß in einer knappen Stunde umrunden. Ich lief in die Küche. Eine offene, fast leere Weinflasche stand auf dem Tisch, daneben ein Glas. Dann sah ich in ihrem Badezimmer nach. Ein großes Handtuch fehlte. Den Zettel, den sie mir hinterlassen hatte, entdeckte ich erst danach.

»Bin am See. Komm doch auch.«

Mir war mulmig zumute, als ich allein durch die nächtliche Stadt radelte. Am See verließ mich beinahe der Mut. Der kleine Weg, der sich am Ufer entlangwand, war dunkel und unheimlich. Ich sah mich suchend um, ich traute mich jedoch nicht zu rufen. Hin und wieder sah ich Gestalten in den Büschen sitzen oder liegen, irgendwo lachte eine Frau, eine Flasche wurde entkorkt, ein Hund bellte. Als ich gerade umkehren wollte, entdeckte ich Clarissas Fahrrad mit ihrem Korb, und dann hörte ich sie nach mir rufen.

»Hallo, Lara! Wie schön, daß du da bist.« Clarissa schwamm bereits im See. »Komm rein. Das Wasser ist wunderbar«, rief sie mir zu.

»Ich habe kein Schwimmzeug dabei!« zögerte ich.

Clarissa lachte und schlug mit ihren Händen auf die Wasseroberfläche. Es platschte laut.

»Los, komm schon! Du Langeweilerin!«

Ich zog mich aus. Das Wasser war kälter, als ich dachte.

Nach Luft schnappend, tastete ich mich in der Dunkelheit vorwärts.

»Hast du keine Angst hier? Mitten in der Nacht?« rief ich ihr zu.

Ich konnte nicht behaupten, keine Angst zu haben. Trotz des Mondscheins saugte der Wald das Licht gierig wie ein Schwamm auf, nur unsere weißen Körper hoben sich deutlich vor der schwarzen Silhouette der Bäume ab. Clarissa zeigte auf den See hinaus.

»Wer zuerst bei der Boje ist …«

Sie hatte einen Vorsprung, aber mein Ehrgeiz war erwacht. Mit langen Stößen kam ich ihr näher und schlug um Haaresbreite vor ihr an. Clarissa schnaufte gewaltig und bedachte mich mit einem schnellen Seitenblick.

»Hej, du bist ja richtig gefährlich!«

»Ach was, du bist die Schnellste, das weiß doch jeder.«

Wir schwammen noch ein bißchen und kehrten dann an das Ufer zurück. Über uns spannte sich der Sternenhimmel. Nachdem wir uns abgetrocknet hatten, wurde mir langsam warm. Das Schwimmen hatte mir gutgetan. Ich fühlte mich frisch und erholt. Clarissa zündete sich eine Zigarette an und sah gedankenverloren auf den See hinaus.

»Wo ist eigentlich Gregor hingefahren?« fragte ich sie.

»Er sucht sich eine Wohnung«, murmelte sie kaum verständlich. Sie schien keine große Lust zu haben, darüber zu sprechen. Ich schwieg.

»Er sagt, er kriegt Zahnschmerzen von meiner Musik«, sagte sie nach einer Weile.

»Sie sind alle gegen uns«, meinte ich trotzig.

»Alle …«, meinte sie, »selbst wenn ich 500 Kilometer weit weg bin, versuche ich immer noch, mich zu rechtfertigen.«

»Vor wem? Vor Gregor?« wollte ich wissen, dabei ahnte ich bereits ihre Antwort.

»Vor meinem Vater. Seit ich denken kann, versuche ich ihm zu gefallen. Früher habe ich mich immer gefragt, ob er das gleiche fühlt wie ich. Bei einem Klavierstück, oder wenn ich eine Platte höre. Wir haben nicht viel darüber geredet. Musik ist Gefühl. Und darüber sollte man nicht zuviel sprechen!«

Sie griff zur Rotweinflasche, die in dem Picknickkorb steckte, und füllte ihr Glas. Ich mußte sie etwas fragen, was mir schon lange auf dem Herzen lag. Ich ahnte, daß mein früher Wunsch, so wie sie zu werden, mit ihrem Wunsch einherging, eine Tochter wie mich zu haben. Sie hatte mir des öfteren erzählt, wie gern sie so ein Mädchen wie mich gehabt hätten. In Tagträumen hatte ich mir vorgestellt, wie ich als ihre Tochter leben würde. Ich bewunderte Clarissa, und die Vorstellung, in ihrer tollen Wohnung, in der großen Stadt zu leben, erschien mir unvorstellbar schön.

»Warum habt ihr kein Baby? Gregor und du?« fragte ich.

»Ich weiß nicht, an wem es liegt. Es hat nie geklappt. Vielleicht wollte die Natur keinem Baby eine Mutter wie mich zumuten.«

Erst warf sie ihre Zigarette in die Dunkelheit, dann schniefte sie, und dann wurde ihre Stimme brüchig.

»Ich habe alles falsch gemacht in meinem Leben. Martin hat dich, Kai, Marie. Ein richtiges Zuhause«, sie schluchzte und begann leise zu weinen. »Ich habe gar nichts. Ich habe ihn verraten an diesen Mistkerl von unserem Vater. Er hat mich so geliebt, und ich habe mich nie auf seine Seite gestellt. Ich hätte ihm helfen müssen. Ich habe ihn allein gelassen. Und jetzt haßt er mich. Er wird mir niemals verzeihen …«

Tränen liefen über ihre Wangen, ich beugte mich zu ihr und tupfte sie vorsichtig weg.

»Das ist doch nicht wahr. Clarissa, du hast so viel. Du bist schön und stark, und du machst wunderbare Musik. Ich wollte immer so sein wie du.«

Ich legte meinen Arm um ihre Schultern. Sie sah mich mit roten Augen an. Plötzlich war sie das kleine Mädchen, das weder aus noch ein wußte, und ich nahm sie in den Arm und zeigte ihr, daß sie nicht allein war.

In dieser Nacht träumte ich von Toms Augen. Ich lag zusammengerollt wie eine Katze im Bett und schnurrte leise vor mich hin. Ich erinnerte mich an das große Gewitter, das mich in das Bett meiner Eltern getrieben hatte, als ich acht Jahre alt gewesen war, an das tiefe Brummen aus der Brust meines Vaters.

Die Gehörlosenschule sah aus wie jede andere Schule. Bunte Kinderzeichnungen und selbstgemachte Basteleien schmückten lange, freundliche Gänge. Kinder rannten die Flure entlang und gestikulierten eifrig mit den Händen. Es war keineswegs stiller als in einer normalen Schule, die Kinder lachten und quiekten, schrien und weinten. Wie sollte ich hier Tom nur finden? Ein Junge lief an mir vorbei, ich wollte ihm etwas hinterherrufen, besann mich aber gerade noch rechtzeitig darauf, daß er mich nicht würde hören können. Ich lief ihm ein paar Schritte nach und faßte ihn an der Schulter. Er drehte sich zu mir um und lächelte, sein Gesicht zeigte keinerlei Erschrecken. Wenn man bei Hörenden von hinten seine Hand auf die Schulter legt, zucken sie zusammen, oder sie fahren überrascht herum. Bei Gehörlosen ist es vollkommen normal, jemanden mit einer Berührung auf sich aufmerksam zu machen. Ich ließ meine Hände sprechen.

›Entschuldige. Kennst du einen Lehrer, der Tom heißt? Er unterrichtet eine vierte Klasse!‹

Der dunkelhaarige Junge nickte und deutete auf eine Tür, hinter der laute Musik ertönte. Ich dankte ihm und klopfte an die Tür. Nichts passierte, die Musik war wohl zu laut. Ich holte tief Luft und drückte die Klinke herunter und betrat das Klassenzimmer. Ich war in einer kleinen Turnhalle gelandet. Es herrschte ohrenbetäubender Lärm. Ein Dutzend Kinder saß in einem Kreis um Tom, der mir den Rücken zuwandte. Nachdem ein Kind nach dem anderen zu mir blickte, machte auch er sich endlich die Mühe zu schauen, wer den Unterricht störte. Ich hob zaghaft meine Hand, um ihn zu grüßen. Er strahlte, sprang auf und zog mich in das Zimmer.

»Hallo!«

Wie sollte ich etwas sagen, bei dem Lärm?

»Hallo!« schrie ich. »Ich dachte, ich besuche dich mal ...«

Er lächelte und drehte die Musik leiser. Die Kinder rutschten neugierig auf dem Boden herum. Er buchstabierte ihnen meinen Namen in Gebärdensprache.

›Das ist L - A - R - A. Sie ist uns besuchen gekommen!‹

Seine Mundwinkel verzogen sich zu einem breiten Lächeln.

›Vielleicht möchte sie ja auch Lehrerin werden!‹

Die Kinder ruckelten unruhig herum, zwei kicherten, einer stieß seinen Nachbarn an. Ich fühlte mich nicht ganz wohl in meiner Haut. Ich war unsicher, weil ich so einfach hier hereingeplatzt war. Tom schien bester Laune. Er hob seine Hand, sofort wurde es leise. Er zeigte auf mich und deutete dann auf den Fußboden.

»Leg dich hin!« sagte er in einem unmißverständlichen Tonfall.

Ich stutzte. Ich hatte wohl nicht richtig gehört. Meine Augen suchten Toms Blick. Er sah mich fest an.

»Was soll ich?«

Die Kinder schienen das Spiel bereits zu kennen. Nur ich wußte nicht, worum es ging. Sie sahen mich amüsiert an, so, als würden sie meine Reaktion abwarten.

»Du sollst dich auf den Boden legen!« wiederholte Tom seine Aufforderung. »Auf den Bauch! Oder willst du nicht mitmachen?«

Die Blicke der Kinder wanderten zwischen mir und ihm hin und her. Er übersetzte seine Worte in Gebärdensprache. Ich wurde nicht schlau aus ihm. War das der Tom, der mich am Abend zuvor so nett verabschiedet hatte? Ich legte mich zögernd auf den Boden. Die Kinder kicherten ganz ungeniert. Tom gab ihnen ein Zeichen, und sie warfen sich blitzschnell, über den ganzen Raum verteilt, auf den Boden. Ich verstand noch immer nicht. Aus Toms Augen blitzte der Schalk.

»Warte einfach ab!« meinte er und stellte den Cassettenrecorder lauter.

Wir lagen alle flach auf dem hölzernen Parkettboden, den Kopf auf den verschränkten Händen. Niemand gab ein Geräusch von sich. Was für ein lustiger Unterricht. Diese Schule gefiel mir. Die Musik begann leise zu spielen. Ich beobachtete die Kinder – sie zeigten keine Reaktion. Langsam wurden die Töne lauter. Ein Junge hob seinen Kopf, lauschte, fast wie ein Reh im Wald, duckte sich wieder, legte sein Ohr auf den Boden. Spürte er schon die Vibrationen? Die Musik? Andere Kinder taten das gleiche. Die Musik war nun dröhnend laut. Auch ich spürte die Vibrationen in meinen Fingerspitzen, in meinen Füßen und in meinem Bauch.

Die Kinder erhoben sich bereits, der Junge, der als erster aufmerksam geworden war, wiegte sich im Takt der Musik. Die anderen taten es ihm nach. Manche tanzten, andere hüpften, sprangen, bewegten sich miteinander. Fasziniert sah ich ihnen zu. Sie konnten nicht hören, aber sie spürten die Musik mit ihrem Körper. Tom stand am Rand und zeigte auf mich.

›Arme Lara. Ich glaube, sie kann Musik nicht spüren!‹

Er legte sich zu mir auf den Boden. Die Kinder tanzten lachend um uns herum.

»Gehst du heute abend mit mir ins Kino?« flüsterte er mir ins Ohr. Er hätte doch laut sprechen können. Wie sollte ihn jemand außer mir verstehen? Ich lächelte ihn an, verlegen, aber froh über sein Angebot.

Im Kino saßen wir nebeneinander. Ich spürte seine Anwesenheit, manchmal suchte er meinen Blick. Ich konnte mich nicht recht auf das Geschehen auf der Leinwand konzentrieren. Als wir das Kino verließen, war die nächtliche Straße von Neonreklamen erleuchtet.

»… schöner Film, was?« meinte Tom.

Ich nickte stumm. Er stellte sich vor mich und sah mich prüfend an. Sein Blick war ernst und forschend, verlor aber nie seine Wärme.

»Nein? Hat er dir nicht gefallen?«

»Irgendwie machen mich solche Filme traurig …«, murmelte ich.

»Traurig?« fragte mich Tom ungläubig, »Liebesgeschichten mit Happy-End machen dich traurig?«

»Ja … sie machen mich unzufrieden … Mit dem, was ich habe … ich meine, sie machen einem soviel Hoffnung …«

»›Hoffnung‹ … oh ja, ein weitverbreitetes Übel …« In Toms Stimme lag eine gewisse Portion Spott. Ich sprach aus, was ich dachte und fühlte.

»Man muß vorsichtig sein mit seinen Träumen. Die meisten gehen sowieso nicht in Erfüllung!«

Tom faßte mich am Arm und rüttelte mich, als wollte er mich aus meinem Dämmerzustand erwecken.

»Hejhej. Wieso bist du eigentlich so furchtbar ernst? Du bist nicht mal zwanzig und redest wie Frau Kowalschek.«

»Wer ist das denn?« fragte ich.

»Meine Hausmeisterin. Aber die ist fast 70, dick und häßlich und hängt den ganzen Tag mit ihrem Kissen und ihrem Pudel im Fenster«, er rüttelte mich erneut, »gibt's denn überhaupt nichts Schönes in deinem Leben?«

Er versperrte mir den Weg und sah mich mit seinen großen Augen, diesen Augen, an. Ich hob verzweifelt meine Arme und meinte mutlos:

»Wenig.«

Er stöhnte, ergriff mich und wirbelte mich im Kreis herum.

»Du machst mich wahnsinnig«, rief er, »du undankbares Ding. Tu dir doch nicht so furchtbar leid!«

Er stellte mich wieder auf die Füße, sein Blick war herausfordernd. Kopfschüttelnd, als hätte er so etwas noch nicht erlebt, blickte er die Straße hinunter. Ich mußte lachen. Plötzlich war ich schrecklich hungrig. Einem Impuls folgend, sprang ich auf Toms breiten Rücken. Er erschrak nicht einmal, sondern ergriff meine Beine.

»Ich habe aber Hunger«, meinte ich, und er galoppierte los.

Wir tauchten in die Nacht. Vor einer großen Hauswand, die von oben bis unten mit Graffitis besprüht war, ließen wir unsere Schatten auf und ab tanzen. Meiner war klein, ich bewegte mich direkt vor der Mauer, und Toms war groß. Er spielte King Kong und ich die Weiße Frau. Sein Schatten griff nach mir, und meiner war diesen riesenhaften Schattenhänden ausgeliefert. Sie befahlen mir zu hüpfen. Es roch nach Bratwürsten.

Ich lief zu dem Grill, bestellte mir etwas und wärmte mir die Hände. Ein Ghettoblaster wummerte vor sich hin. Tom begann, die Melodie mitzusummen. Seine Hände bewegten sich über ein imaginäres Klavier.

»Gloria Gaynor! Das habe ich geliebt, als ich vierzehn war!«

Seine Augen leuchteten, vor allem aber waren es seine Hände, die meinen Blick fesselten. Sie sangen das Lied, eine Melodie aus den siebziger Jahren, die mit harten Bässen unterlegt war, auf ihre Weise. Sie tanzten auf und ab, beschrieben Kreise, entfernten sich voneinander und kamen wieder zusammen, suchten und umschwirrten sich. Das Ambiente – die Graffitis auf den Wänden fast verfallener Häuser, Installationen aus Schrott, verrückte Leute, die Musik und vor allem Tom, in den die Musik hineinfloß und aus dessen Händen sie wieder herausfloß. Meine Hände sangen mit seinen Händen. Er nahm mich in die Arme, wirbelte mich herum, und wir tanzten, bis die Musik verstummte. Ich hatte alles vergessen, ich dachte weder an meine Familie noch an sonst irgend etwas. Für mich existierten nur die Musik und seine Augen, in denen soviel Leben, soviel Charme, Fröhlichkeit und Klugheit aufblitzten.

9. Kapitel

Meine Mutter war kein Mensch, um den man Angst haben mußte. Sie stand mit beiden Beinen im Leben und wußte sehr gut, was sie sich zutrauen konnte und was nicht. Kinder fordern viel von ihren Eltern. Sie wollen mit ihnen Fußball spielen, tauchen, auf Bäume klettern oder Silvesterraketen anzünden. Kinder wollen sich durchsetzen, sie möchten, daß ihre Wünsche wahr werden, und interessieren sich nicht für die Probleme der Erwachsenen. Ich hatte mir immer gewünscht, mit meiner Mutter radzufahren. Es gab für mich nichts Schöneres als die Vorstellung, neben ihr durch Felder und Wiesen zu fahren, sie lachen zu sehen und mich bei ihr zu wissen. Ich erinnere mich noch genau an den Tag, als ich mit acht oder neun Jahren auf unserer kleinen Terrasse saß und Schulaufgaben machte. Die Sonne schien, plötzlich flog ein Steinchen auf mein Heft. Ich sah erstaunt über die Brüstung. Kai und Martin standen mit einem nagelneuen Damenrad auf der Straße. Ich begriff nicht sofort.

›Hol dein Rad‹, deutete mir mein Vater, ›wir machen einen Ausflug!‹

›Eine Radtour?‹ Vor Staunen blieb mir der Mund offen. ›Aber ich denke, Mama kann nicht … wegen ihres Gleichgewichts?‹

Bisher hatten sie mir immer erklärt, daß Mama wie viele

Gehörlose Schwierigkeiten mit ihrem Gleichgewichtssinn hatte und deshalb nicht radfahren könne. Mein Vater hatte keine Probleme beim Radfahren, er brachte es ihr bei. Wie glücklich und aufgeregt war sie, als sie die ersten Meter allein auf dem Rad zurücklegte. Ich erinnere mich an ihr schönes, eigenwilliges Lachen.

Auf einer großen Wiese inmitten von dicht bewachsenen Hopfenfeldern warfen mein Vater und ich unsere Räder ins Gras und begutachteten Mamas Fahrkünste. Es sah abenteuerlich aus, wie sie wackelnd versuchte, mit ihrem Rad Kurven zu fahren. Das Fahren schien ihr viel Spaß zu machen. Manchmal fiel sie hin, aber sie lachte nur und schwang sich unermüdlich wie ein Kind wieder in den Sattel. Ich half ihr wie einer großen Schwester, und wir beide schenkten den ängstlichen Blicken meines Vaters keine Beachtung. Sie fuhr einen Weg hinauf. Oben angekommen, winkte sie uns, drehte ihr Rad und ließ sich den Hügel herunterrollen. Plötzlich tauchte hinter ihr ein Traktor auf.

Vater und ich sahen ihn zur gleichen Zeit und warnten Kai wild gestikulierend, aber sie schien nicht zu verstehen und lachte uns zu. Der Traktor hupte. Kai kam schlingernd den Weg hinunter. Der Traktor hupte erneut und versuchte meine Mutter zu überholen. Sie schnitt ihm den Weg ab und lachte über unsere aufgeregten Bewegungen. Ich schlug die Hände vor die Augen und blinzelte durch die Finger. Plötzlich fiel sie zur Seite in das weiche Gras. Als der Traktor sie überholte, sah sie ihn erstaunt an. Sie hatte nicht das Geringste bemerkt. Unsere Bewegungen hatte sie für Anfeuerungsrufe gehalten. Mutter und ich lachten erleichtert, doch meinem Vater war nicht zum Lachen zumute.

Warum ich das an dieser Stelle erzähle? Weil die Erinnerung an meine Mutter, an ihr Lachen, an ihre Kindlichkeit, an ihren Übermut, an ihre Wärme alles ist, was mir von ihr geblieben ist.

Ich kam spät heim nach diesem wunderbaren Abend mit Tom. Um Clarissa nicht zu wecken, schlich ich auf Zehenspitzen in mein Zimmer. Eine Stimme kam aus der Dunkelheit des Flures.

»Lara?«

Ich erschrak und fuhr herum. Gregor stand in der Tür zum Wohnzimmer. Er hatte kein Licht angemacht, nur eine Kerze flackerte hinter ihm. Tausend Gedanken schossen durch meinen Kopf. Wieso war er wieder in der Wohnung? Was war passiert? War ich zu spät? Ich ging langsam auf ihn zu.

Sein Gesicht lag im Halbschatten, von dem Schalk, der ihm sonst immer in den Augen saß, war nichts geblieben. Ich war verunsichert, ich hatte Angst. Gregor löste sich aus dem Türrahmen und kam mir entgegen. Seine Hand strich mir behutsam eine Haarsträhne aus der Stirn. Das Herz klopfte mir bis zum Hals. Ich war unfähig, mich zu bewegen. Er sprach kein Wort, behutsam nahm er mich in seine starken Arme und hielt mich fest.

»Komm her, Lara! Komm her zu mir, mein Mädchen«, brachte er mit belegter Stimme hervor.

Was wollte er von mir? Ich versuchte, mich freizumachen. Er nahm mein Gesicht in seine Hände, suchte meinen Blick und schaute mich wortlos an. Ich las es in seinen Augen, bevor er es aussprach.

»Deine Mutter hatte gestern abend einen Fahrradunfall. Sie ist tot.«

Ich sah über seine Schulter hinweg. Das Bild an der Wand

zeigte eine Figur, die auf einem Stuhl saß. Kraftlos, vorn-übergebeugt, die Arme auf die Knie aufgestützt. Was hatte er gesagt? Ich versuchte, mich von Gregor zu lösen. Er hielt mich fest.

Der Boden öffnete sich unter meinen Füßen. Ich sank in die Knie, ich fiel in die Tiefe, fiel und fiel. Die Dunkelheit verschlang mich. Willenlos ließ ich mich von Gregor ins Bett tragen. Ich fiel durch einen schwarzen Tunnel, Bilder begleiteten mich – meine Mutter, wie sie Äpfel in Schokoladensauce tunkt, wie sie wackelnd auf dem Fahrrad sitzt, wie sie lacht, ich klatsche ihr Applaus, wie sie vor dem Spiegel steht und singt, sie mit ernstem Gesicht, sie in den Armen meines Vaters – eine allgegenwärtige Dunkelheit verschlang mich.

10. Kapitel

Am nächsten Morgen fuhr ich zu meinem Vater und Marie. Unser Haus ohne Kai – ich flüchtete mich in die Arme meines Vaters. In der ersten Nacht schliefen wir zu dritt in einem Bett. Vater lag in der Mitte, ich an seiner linken Seite und Marie an seiner rechten. Immer wieder wachte ich auf, hörte meinen Vater und meine Schwester atmen. Die Vorhänge wehten sanft im Wind.

Meine Mutter war tot, ein zentraler Teil meines Lebens war für immer ausgelöscht. Ich begriff es nicht. Überall im Haus sah ich meine Mutter, im Bad, in der Küche, auf der Treppe, ich hörte sie in der Speisekammer rumoren oder den Flur fegen. Wir teilten den Schmerz, und doch war jeder allein mit seinem Kummer. Mein Vater hatte sich noch weiter zurückgezogen und schien in unerreichbare Ferne gerückt.

Nur weinend konnte ich den Kummer ertragen und mich von dem Druck befreien, der auf mir lastete. Jeder Gegenstand erinnerte mich an Mama. Ich räumte ihre Kleider aus den Schränken. Ihren roten Schal und ihre roten Handschuhe, mit denen sie mir kleinem Mädchen immer zugewunken hatte. Ihre leichten Sommerkleider und ihre warmen Pullover, die sie im Winter so gerne trug. Wir hatten sie beerdigt, und doch sah ich sie immer vor mir.

Die Schwierigkeiten mit meinem Vater wurden nicht geringer. Ich versuchte, ihn zu erreichen, aber es gelang mir kaum. Er hatte es nie gelernt, über seine Gefühle zu sprechen. Seine Frau war der stützende Pfeiler seines Lebens, nun, als sie nicht mehr bei ihm war, schien er jeden Lebensmut verloren zu haben. Ich ertrug seinen Kummer kaum.

Ich sehnte mich nach seinen lebhaften Augen, seinen großen wunderbaren Händen und dem tiefen Brummen, das mir Heimat und Schutz zugleich war. Nachdem so viele meiner Versuche, mich mit ihm über unsere neue Situation und unsere Trauer auszutauschen, gescheitert waren, wandelte sich meine Trauer in Zorn. Ich war jung, ich war hungrig, ich wollte leben. Sicher übersah ich seine Versuche, die Isolation zu überwinden. Oft stand er schon morgens in der Küche, sah aus dem Fenster und starrte in die aufgehende Sonne. Wahrscheinlich hatte er wieder nicht geschlafen. Er suchte meine Aufmerksamkeit.

›Wie klingt das? Wenn die Sonne aufgeht?‹ wollte er wissen.

Papa und seine Spiele. Ich konnte nicht darauf eingehen. Warum konnte er mit mir nicht wie mit einer erwachsenen Tochter reden?

›Kein Geräusch, Papa. Sie tut es geräuschlos!‹

Ich wandte mich ab. Er sah müde aus, sehr müde. Seine Gesten waren plötzlich hart und unversöhnlich.

»Sie hätte nie radfahren sollen«, sprach ich aus, was er mir mit seinen Händen andeutete, »das war ein Fehler. Sie hatte Probleme mit dem Gleichgewicht.«

Was wollte er damit sagen? Ich ging einen Schritt auf ihn zu. Mit einer kleinen, entschiedenen Geste stellte er die Dinge klar. Das war es also. Ich begriff. Ich suchte seinen Blick.

›Willst du damit sagen, es ist meine Schuld?‹

Es wäre ein leichtes für ihn gewesen, meine Zweifel zu zerstreuen, aber er wollte es nicht. So oft hatten sich Hörende auf feindliche und bevormundende Weise in Mamas und sein Leben eingemischt; hatten ihnen schon als Kinder vorgeschrieben, was sie zu tun und zu lassen hatten. In seinem Schmerz und seiner Trauer machte er nun mich als Teil der hörenden Welt für Mamas Tod verantwortlich. Hatte ich damals nicht von ihr verlangt, was sie aufgrund ihrer Gehörlosigkeit eigentlich nicht konnte? Sie hatte für mich radfahren gelernt. Für mich. Und jetzt war sie tot.

›Hej, schau mich an!‹ Ich riß ihn aufgebracht an der Schulter herum. ›Sprich mit mir, verdammt noch mal. Das kannst du nicht glauben.‹

Aber es war zu spät. Ich kannte meinen Vater. Er war so stur. Wenn er einmal eine Meinung geäußert hatte, dann blieb er dabei. Ich war schuld an Mutters Tod, ich, weil ich sie als kleines Mädchen überredet hatte, das zu tun, was hörende Eltern auch tun.

Sein Vorwurf weckte Schuldgefühle in mir. Sie zerrissen mir fast das Herz. Ich hätte den Zuspruch, den Trost meines Vaters sehr gebraucht. Aber für ihn war ich in diesem Moment nichts als eine verhaßte »Hörende«, die ihm das Liebste genommen hatte.

Schweigend saßen wir von nun an bei den Mahlzeiten um den Tisch. Aber es war kein friedliches Schweigen, kein Schweigen, bei dem jeder mit sich selbst im reinen ist. Es herrschte eine zerstörerische Stille. Ich konnte meinen Vater nicht mehr sehen. Wie er da saß, in sich gekehrt, vorwurfsvoll den Blick auf den Tisch gerichtet, schmatzend. Marie schien das alles nicht zu stören, ich aber hatte es lange genug ertragen. Ich hatte lange genug geschwiegen. Mir fiel die Decke auf den Kopf. Ich hatte die Hoffnung verloren, meine Gedanken und Gefühle mit meinem Vater teilen zu können. Eines Morgens stand ich auf und schaltete das Radio ein. Mein Vater hatte es bemerkt und hob den Kopf. Ich konnte nicht mehr. Mir fiel die Decke auf den Kopf.

›Mach das Radio aus!‹

Ich dachte gar nicht daran. Mein Vater aß weiter.

›Was soll ich machen?‹ fragte ich nach.

›Sie stört mich‹, kam es kurz von ihm.

Ich konnte es nicht fassen. Die Musik störte ihn, weil ich sie genoß.

›Die Musik stört dich?‹

Mit einem lauten Knall schlug er auf die Tischplatte. Wir erschraken beide. Marie sah angstvoll zwischen uns beiden hin und her. Sie war zu klein, um unsere Schwierigkeiten zu verstehen.

›Ich will keine Musik in meinem Haus. Nicht jetzt.‹

Ich sprang auf und verließ die Küche. Ich konnte meinen Vater nicht mehr ertragen. Es schien mir, als wolle er sich pausenlos durchsetzen – gegen meine Andersartigkeit, gegen meine Welt, gegen mich, seine hörende Tochter.

Ich rannte in mein Zimmer. An meinem Spiegel hingen noch die zwei Konzertkarten, die Mama mir geschenkt hatte. Sie waren ein letztes Versprechen, das wir uns gegeben hatten. Ein Versprechen, zu unseren Wünschen und Träumen zu stehen und uns durch nichts von ihnen abbringen zu lassen. Noch immer sah ich Mama neben mir im Spiegel, wenn ich mich betrachtete, die Bürste vor dem Mund, die Augen geschlossen, in Gedanken auf einer weiten Reise. Sie gab mir Kraft.

Endlich war der Tag des Konzerts gekommen. Ich schminkte mich im Bad. Marie saß nackt auf dem Rand der vollen Badewanne und betrachtete mich skeptisch. Sie sah nicht gerade glücklich aus. Ich tröstete sie.

»Es wird bestimmt nicht später als elf. Wenn der Bus pünktlich kommt. Alles klar?«

»Mußt du da unbedingt hin?«

»Ich war schon ewig nicht mehr aus, und ich bin auf dem besten Weg, wahnsinnig zu werden. Außerdem sind die Karten von Mama.«

»Und warum kann ich nicht mit? Du hast doch zwei …«

»Eine muß bei Papa bleiben.«

Das war nicht die ganze Wahrheit. Ich brauchte etwas Zeit für mich. Ich wollte auf andere Gedanken kommen.

»Du mußt ihn ins Bett bringen. Gehst du jetzt in die Wanne?« lächelte ich sie an.

»Er soll sich selber ins Bett bringen«, meinte sie aufmüpfig, »ich bin doch nicht sein Babysitter.«

»Vorsicht, Fräulein«, warnte ich sie, »nicht so frech.« Insgeheim war ich froh, daß sie Mutters Tod und die Spannungen zwischen Vater und mir so gut verkraftete. Marie streifte sich eine Taucherbrille über.

»Und? Wie sehe ich aus?« Ich war mit dem Schminken fertig.

Sie legte den Kopf schräg.

»Irgendwie zu bunt.«

»Echt? Clarissa schminkt sich auch so.«

»Clarissa sieht ja auch gut aus«, kam es wie aus der Pistole geschossen zurück. Ich drehte mich zu ihr um.

»Ich habe dich furchtbar lieb, das weißt du, ja?« Marie sah mit ihrer Brille aus wie ein erstaunter Frosch. Ich beugte mich zu ihr herunter und sie dachte wohl, ich wolle ihr einen Abschiedskuß geben, aber da hatte sie sich getäuscht. Mit einem Schwung drückte ich sie unter Wasser und verließ lachend das Badezimmer.

Bereits die Busfahrt allein genoß ich. Volle Hopfenstangen säumten die Straße zu beiden Seiten. Dunkelgrüne Wiesen wölbten sich über sanfte Hügel. Die Äcker waren frisch gepflügt und lagen vor mir in ihrem satten Braun. Die Sonne stand tief über dem Horizont und tauchte die Landschaft in ein warmes Orange. Und ich brach auf zu neuen Ufern.

Viel zu früh betrat ich den Saal. Alle Stühle waren leer. Nur ein Diaprojektor warf seinen Strahl auf eine Leinwand über der Bühne. Dort leuchtete, wie von einer geheimnisvollen inneren Kraft erhellt, ein Bild, das mir sehr gefiel. Ein Mann hielt eine Frau zärtlich umschlungen, sie lagen träumerisch vor einem Hügel, aus dem wie bei einem Vulkanausbruch Sterne, Blumen, Vögel und Feuer schossen. Ich betrachtete es gebannt. Die Kraft, das Leben und die Freude, die aus diesem Bild sprachen, ergriffen mich. Schon lange hatte ich so etwas Berührendes nicht mehr gesehen. Die Frau auf dem Bild schien mir zuzulächeln. Ich stieg auf die Bühne, um es aus der Nähe zu betrachten. Mein Schatten wurde zu einem Teil des Bildes. Plötzlich hörte ich eine Stimme.

»Listen! You hear the sound of the picture?«

Ein Mann mit einem weißen Bart betrat, seine Hände tastend ausgestreckt, als sei er blind, die Bühne. Mit einem spanischen Akzent sprach er,

»Yes! Can you hear it?«

Ich sah den Mann stumm an, er wies auf das Bild, und wir betrachteten es.

»He's a great artist. Chagall. His paintings are music, you know? He knows that the world is music.« Er machte eine kleine Pause und sah mich aufmerksam an.

»You want to know the truth of music?«

»Yes. I want to learn it.«

Der alte Mann umkreiste mich, er lachte, schüttelte den Kopf.

»You don't have to learn it anymore. It's in you already. Listen to the songs inside.«

Der Lichtstrahl des Projektors wurde von einer älteren Frau unterbrochen, die dem Mann signalisierte, er möge kommen. Mit einem mir unergründlichen Lächeln stieg er vorsichtig von der Bühne. Ich sah ihm nach.

Langsam füllte sich der Raum. Ein Gitarrist und ein Bassist gingen auf die Bühne. Ich hielt die beiden Karten von Mama in den Händen. Der Platz neben mir blieb leer. Ein schwacher Scheinwerfer erhellte die Bühne, Musik ertönte hinter uns. Ich staunte nicht schlecht, als ich mich umdrehte. Der Mann, der eben noch zu mir gesprochen hatte, war der Star des Abends – Giora Feidman, ein Klarinettist. Leise und geheimnisvoll spielte er auf seinem Instrument, und als er die Bühne erreicht hatte, stimmten die beiden Musiker in das Lied ein. Er spielte ein traditionelles jüdisches Volkslied – melancholisch, kraftvoll und frei. Ich tauchte ein in die Musik. Sie war so anders als alles, was ich bisher gehört hatte. Sie schien aus dem Mann wie eine Quelle zu entspringen, und er schien eins mit seinem Instrument. Sein Spiel wirkte so leicht und schwerelos.

Das war meine Musik – heiter und stark, ruhig und traurig zugleich. Mehr als alles zuvor drückte sie mein Lebensgefühl aus.

Die Musik trug mich fort. Ich sah meine Mutter fröhlich und ungeschickt die ersten Versuche auf ihrem Fahrrad machen, ich lief vor ihr her, tanzte durch die nasse Wiese – wir lachten beide, das Leben war so leicht und so schön. Niemals werde ich das vergessen.

11. Kapitel

Ich fühlte mich wie neugeboren. Die Heimfahrt verging wie im Fluge. Ich spürte die wundervolle Musik in mir. Sie brachte mein Herz zum Schlagen und vertrieb die trüben Gedanken. Aber das sollte nicht die einzige Freude dieses Abends bleiben. Als ich unser Gartentor öffnete, sah ich einen Mann in unserem Garten stehen. Er stand im Halbschatten unter einem Baum und wandte mir sein Profil zu.

»Tom?«

Er löste sich aus der Dunkelheit. Es war tatsächlich Tom. Er trug seine gelbe Jacke und war mir so vertraut, als hätten wir uns das letzte Mal erst am Nachmittag noch getroffen.

»Ich habe dich im Bus gesehen«, seine ruhige Stimme war Balsam für meine Ohren, »ich dachte, ich schaue mal nach dir. Deine Tante hat mir erzählt … und … ich flieg doch morgen abend.«

Langsam erst realisierte ich, daß er den weiten Weg aus Berlin gekommen war, um mich zu sehen.

»Es tut mir so leid, Lara.«

Ich dachte an die Musik. Meine Trauer hatte ich weit weg geschoben. Ich wollte sie vergessen, wollte nicht an an den Tod meiner Mutter erinnert werden. Mein Leben sollte sich wieder um mich drehen. Ich strahlte Tom an.

»Ich habe gerade das schönste Konzert meines Lebens gehört. Ich will unbedingt auf diese Schule gehen. Ich muß das schaffen. Meinst du, ich bin gut genug?«

»Ich habe dich ja noch nie spielen hören«, antwortete Tom. Ich war Feuer und Flamme für meinen Plan.

Giora Feidman hatte mir mit seiner Musik etwas zurückgegeben, von dem ich nicht mehr gewußt hatte, daß es existierte.

»Soll ich dir was vorspielen? Jetzt?«

»Jetzt?« fragte Tom verblüfft.

»Warum nicht? Irgendeinen Vorteil muß es ja haben, daß unsere Väter gehörlos sind.«

Ich kicherte und stürmte ins Haus.

»Du bist ja schon wieder gut drauf ...«, Tom betrachtete mich aufmerksam, aber ich schenkte ihm keine Beachtung und ermahnte ihn, leise zu sein. Mein Vater war zwar gehörlos, meine Schwester dagegen hörte um so besser. Es war eine helle Nacht. In ein paar Tagen würde Vollmond sein, kein Schatten war am Himmel zu sehen. Die Sterne erschienen mir wie feine Nadelstiche in einem endlosen blauen Tuch. Tom tastete sich vorsichtig zwischen den Stühlen hindurch. Ich suchte meine Klarinette.

»Brauchst du kein Licht? Für die Noten?« fragte Tom flüsternd.

Ich zeigte ihm einen Vogel. Meine Klarinette lag auf dem Wohnzimmertisch. Mit ein paar schnellen Griffen spannte ich das hölzerne Mundstück ein. Toms Schatten zeichnete sich vor dem Fenster ab. Alles war in ein blau-weißes Licht getaucht, die Nacht verschluckte die Farben und milderte die Konturen.

»Also nicht so streng sein! Ich habe mir das gerade erst ausgedacht!«

Ich fing an zu spielen. Eine einfache Melodie. Immer dachte

ich daran, wie Feidman mit seinem Instrument die Musik zum Leben erweckt hatte. Ich spürte, wie mein Mut zurückkam, ich blies kraftvoller, und die Töne flossen zusammen. Toms Augen leuchteten in der Dunkelheit. Mein Spiel führte mich auf eine Reise in ein unbekanntes Land, erst seine Stimme holte mich zurück in die Nacht.

»Das war wunderschön, Lara. Das war richtig gut …«

Ich sah ihn unsicher an. Seine Augen ruhten auf mir.

»Hat es dir wirklich gefallen?«

Zuerst berührte mich seine Hand. Zärtlich, sanft strich sie über meine Wange.

»Machst du Witze?« fragte er leise. Sein Gesicht kam auf mich zu. »Wenn du gar nicht weißt, wie gut du spielst, dann weißt du gar nichts …«

»Soll ich noch etwas spielen?« fragte ich ihn.

Er schüttelte den Kopf und nahm mir die Klarinette aus der Hand und legte sie zur Seite. Seine Lippen waren ganz dicht an meinem Ohr.

»Gar nichts sollst du …«

Er küßte mich. Mir war, als ob sich in mir ein Knoten löste. Eine große Welle durchlief meinen Körper und schwemmte alle Hindernisse fort. Seine Lippen waren weich und fest zugleich. Ich hörte meinen schnellen Atem. Seine Hände erkundeten mein Gesicht, glitten tiefer, schoben die Träger meines Kleides von den Schultern, ertasteten meine Arme, meine Hüften, meinen Bauch, ich erschauderte.

Ich öffnete die Knöpfe seines Hemdes, schmiegte mich an seinen Oberkörper, küßte ihn, auf die Augen, auf den Mund, auf den Hals. Ich erglühte innerlich. Seine warmen Hände ließen mich alle Scheu vergessen. Ich schloß die Augen und öffnete sie wieder, um seinen Blick zu suchen, in dem ich Wärme, Vertrauen und Begehren fand.

116

Wir liebten uns.

Später lagen wir nebeneinander. Ich spürte seinen nackten Körper, seine Ruhe und Wärme befriedeten auch mich. Eine verirrte Biene kroch über den Wohnzimmerboden. Tom drückte sich an mich.

»Wußtest du, daß Bienen taub sind?« flüsterte er.

»Ehrlich, Herr Lehrer?« flüsterte ich zurück.

»Sie können Geräusche durch ihren Tastsinn wahrnehmen.«

Er streckte seine Hand aus. Und so, wie ich zu ihm Vertrauen gefaßt und mich in seine Hände begeben hatte, so krabbelte die kleine schwarze Biene auf seinen Zeigefinger, als hätte sie nur auf ihn gewartet. Er legte seinen Finger auf meine Brust. Die Biene erkundete das neue Terrain.

»Jetzt hört sie dein Herz schlagen«, meinte Tom und küßte mich.

Ich wollte meinen Vater zum Frühstück nicht mit einem fremden Gesicht überraschen, also gingen wir in ein Café frühstücken. Ich mußte Tom immerzu ansehen. Konnte ich in seinen Augen das wiederfinden, was ich in mir spürte? Er stützte seinen Kopf in beide Hände und machte einen verschlafenen Eindruck. Ich beschäftigte mich damit, wie es nun mit mir weitergehen würde.

»Kann ich nicht in deiner Wohnung wohnen? Irgendwo muß ich mich auf die Prüfung vorbereiten … ich will hier weg.«

»Ich habe die Wohnung vermietet für das Semester. Ich kann meinen Freund jetzt nicht hängenlassen. Er braucht die Wohnung …«

Das war nicht die Antwort, die ich mir gewünscht hatte. Es war mir klargeworden, daß ich nicht länger zu Hause bleiben wollte. Ich wollte nach Berlin. Ich wollte auf das Konservatorium. Ich wollte Musik studieren. Warum zum Teufel konnte mein Leben nicht einfacher werden? Ich spürte, wie die Trauer wieder von mir Besitz ergriff.

»Hej, was ist denn mit dir? Warum bist du denn nur so furchtbar traurig, kleine Lara?«

»Das Traurigste am Leben sind Trennungen und der Tod. Ich will keinen Abschied mehr nehmen. Ich habe genug davon.«

Tom griff nach meiner Hand.

»Hoo«, seufzte er liebevoll, »du bist mich noch nicht los. Unsere Geschichte fängt doch gerade erst an. Ich finde, wir sind ein ziemlich gutes Paar. Eine Klarinettistin und ein Gehörlosenlehrer, das paßt doch großartig.«

Er lachte mich offen an und ließ meine Hand dabei nicht los. Mir war nicht nach Lachen zumute.

»Ich will nicht, daß du weggehst!« sprach das energische kleine Mädchen, das versuchte, sein Leben in den Griff zu bekommen. Er schlug seine Augen auf.

»Ich bin doch schon fast wieder da.«

Aber sein Blick beruhigte mich nur halb. Er würde nach Amerika gehen und ich allein zurückbleiben. Unser Abschied fiel kurz aus. Tom mußte nach Berlin zurück. Er versprach, sich so schnell wie möglich zu melden.

Ich war wieder allein.

Mein Vater und meine Schwester saßen beim Frühstück, als ich nach Hause zurückkam. Ich verharrte einen Moment im Flur, um zu mir zu finden. Marie, die gerade ein Ei auslöffelte, sah mich erstaunt an.

»Wo kommst du denn her?«

»Ich war schon spazieren …«, antwortete ich halbherzig.

Ich nahm mir einen Kaffee und setzte mich zu ihnen an den Tisch. Mein Vater verschanzte sich, ganz gegen seine sonstigen Gewohnheiten, hinter der Tageszeitung. Er blickte mich nicht einmal an. Ich ahnte, was kommen würde.

»Bist du nicht ein bißchen spät dran?« fragte ich Marie. Ich konnte das Schweigen nicht ertragen.

»Was denn? Ist doch erst Viertel nach sieben. War das Konzert schön?«

Ich nickte. Mein Vater schlug die Zeitung um. Er tat es umständlich, so daß es knisterte und viel Lärm machte. Er wußte, daß mich das störte. Ich sah ihn an. Er erwiderte meinen Blick und legte die Zeitung zur Seite.

›Bist du spät nach Hause gekommen?‹ deutete er.

›Geht so. Gegen zwölf, glaube ich‹, antwortete ich.

›Ich dachte, du wolltest um elf da sein.‹

›Na und? Ich war aber nicht um elf da. Ich bin achtzehn Jahre alt. Da werde ich mich ja wohl mal um eine Stunde verspäten dürfen.‹

›Du darfst einiges. Aber nicht alles.‹

Jetzt ging es wieder los. Marie schaute überrascht von einem zum anderen. Der strenge Blick meines Vaters war nicht zu übersehen.

»Was ist denn jetzt los?« fragte Marie verblüfft.

Mein Vater geriet in Rage. Seine Hände sprachen eine deutliche Sprache. Marie war seine Stimme, staunend übersetzte sie seine Gesten. »Vor allem habe ich etwas dagegen, wenn du Männer mit nach Hause bringst und mit ihnen im Wohnzimmer …«

Mein Vater machte eine eindeutige Geste, die sich Marie jedoch nicht ganz erschloß. Seine Hände klatschten dabei brutal aneinander.

»Wer war da? Was war los?« fragte Marie mit großen Augen.

Er hatte uns gesehen. Ich hatte es geahnt. Zwischen seinen Augen hatte sich diese kleine Zornesfalte gebildet, wütend fuhren seine Hände fort, zu mir zu sprechen.

›Daß du das wagst. So kurz nach Mamas …‹

Ich unterbrach ihn. Ich mußte ihn unterbrechen. Ich konnte seine Vorwürfe nicht mehr ertragen.

›Na was? Was habe ich schon wieder falsch gemacht, Papa? Was willst du mir noch alles vorwerfen? Daß ich verantwortungslos bin? Daß ich egoistisch bin? Daß ich nur an mich und meine Musik denke? Daß ich Mama und dir in den Rücken gefallen bin? Daß ich mich auf Clarissas Seite gestellt habe, daß ich dich verraten habe? Soll ich dir was sagen? Ich halte sie nicht mehr aus. Deine vorwurfsvollen stummen Blicke. Deine Beschwerden. Ich halte die Stille nicht mehr aus in diesem Haus, die Geräusche, die du machst, wenn du die Zeitung liest, wenn du ißt, wenn du dir die Zähne putzt. Dieses Haus ist zum Käfig geworden. Und ich will hier weg. Ich hab genug …‹

Ich schleuderte ihm alles ins Gesicht, was sich angestaut hatte. Mein Vater sprang auf und ergriff meine Hände, um mich zum Schweigen zu bringen. Ich riß mich los. Unbeherrscht brach es aus ihm heraus.

»Hau ab«, schrie er laut und rauh.

Er stieß mich aus der Küche und schlug die Tür hinter mir zu. Ich hörte Marie weinen, bevor ich aus dem Haus flüchtete. Nun war es also passiert – das Band zwischen uns war endgültig zerrissen.

12. Kapitel

Noch am selben Tag reiste ich ab. Keine Nacht länger wollte ich mit meinem Vater unter einem Dach verbringen. Meine Schwester tat mir leid, sie weinte, sie verstand unsere Auseinandersetzungen nicht und bat mich zu bleiben. Aber ich mußte gehen. Mit einem Koffer, einem Rucksack und meiner Klarinette reiste ich nach Berlin. Die Großstadt hatte mich wieder.

Ich wurde ziemlich schnell daran erinnert, daß das Leben dort anderen Pfaden folgte. Ich klingelte an Clarissas Tür, es dauerte einen Moment, bis sie geöffnet wurde. Ich staunte nicht schlecht, als Walter, der Mann aus dem Jazzclub, halbnackt und mit nassen Haaren vor mir stand. Immerhin trug er ein Handtuch um die Hüften. Die Verwunderung war gegenseitig. Ich bekam als erste ein Wort heraus.

»Ich suche meine Tante! Clarissa Bischoff. Ist sie da?«

Walter starrte mich an. In diesem Moment erschien Clarissa in ihrem dunklen Morgenmantel. Sie sah reichlich verschlafen aus. Walter machte einen Schritt zur Seite. Clarissa zog mich in die Küche und bot mir einen Tee an. Ich glaube, sie freute sich wirklich, mich zu sehen. Ich entdeckte keine Veränderung in der Wohnung, nur eine nachlässig über einen Stuhl geworfene Hose zeugte von der Unruhe in Clarissas

Leben. Ich war mir nicht sicher, ob ich willkommen war. Clarissa machte einen aufgeräumten, geschäftstüchtigen Eindruck.

»Walter ist Photograph! Er wird in Spanien Aufnahmen für ein Reisemagazin machen! Er meint, ich kann ihm dabei helfen. Als seine Assistentin sozusagen … Wir fahren nächste Woche.«

Sie löste ihre Haare und lachte vergnügt.

»Und Gregor?«

Clarissa nahm einen großen Biß von ihrem Croissant. Ich hatte keinen Hunger, ich kam mir verloren vor. Nirgends fühlte ich mich mehr zu Hause.

»Dein Onkel hat es vorgezogen, allein zu wohnen! Er hat mich verlassen!«

Wehmütig dachte ich an Gregor und die Weihnachtsabende zurück, die wir gemeinsam in der Familie verbracht hatten. Bestand mein Leben denn nur aus Trennungen? Clarissa schien ihm keine Träne nachzuweinen. Ihr Tonfall war dramatisch, aber das hatte bei ihr nichts zu bedeuten. Wirklich traurig hatte ich sie nur einmal am See erlebt; und damals war sie betrunken gewesen. Ich erzählte ihr von meinem überstürzten Aufbruch und der Entscheidung, mich am Konservatorium zu bewerben.

»Du hast es genau richtig gemacht, Lara«, sagte sie vergnügt, »deine Musik ist jetzt wichtiger. Martin wird das schon noch verstehen. Aber das ist typisch für ihn, er führt sich auf wie ein Wahnsinniger und schafft es dabei auch noch, daß wir hinterher ein schlechtes Gewissen haben. So war es immer. Er ist ein Meister im Schuldzuweisen …«

In dieser Sekunde begriff ich, wie egozentrisch Tante Clarissa war. Ihr war es gleichgültig, wie es Gregor ging, wie es meinem Vater ging oder wie ich mich fühlte.

»Du hast keine Ahnung, was in ihm vorgeht«, sagte ich leise.

»Was ist denn jetzt los?« erwiderte sie angriffslustig.

»Du hast kein Recht, ihn zu verurteilen. Du hast dir nie die Mühe gemacht, ihn überhaupt kennenzulernen.«

Clarissa schenkte sich ungerührt einen Kaffee ein.

»Lara, ich will doch nur, daß du endlich da rauskommst ...«

Es war mein Leben, verdammt noch mal, wann würde sie das endlich begreifen?

»Was ist es, was du von mir willst, Clarissa? Manchmal glaube ich, du willst nur gewinnen. Du willst für dich, daß ich auf diese Schule gehe. Warum auch immer.«

»Quatsch. Ich will, daß du gut wirst. Richtig gut. Deine privaten Probleme lenken dich nur von der Musik ab!«

»Klar, du willst, daß ich gut werde. Gut schon. Aber nicht besser als du.«

Das saß. Ihre Züge froren ein, ihre Augen wurden schmal.

»Das ist nicht fair.«

»Deshalb wehrst du dich so gegen meine Musik. Findest sie langweilig, trübsinnig. Wenn du wirklich an mir interessiert wärst, hättest du mich unterstützt. In dem, was ich will ... Das hast du nie gemacht ...«

Walter gesellte sich zu uns. Immerhin hatte er sich angezogen. Er lächelte breit und versöhnlich.

»Aber hallo, meine Damen, deshalb wird man sich doch nicht gleich in die Haare kriegen!«

»Halten Sie doch die Klappe. Sie wissen doch überhaupt nicht, wovon wir reden«, fuhr ich ihn an.

»Kaffee?« fragte er beschwichtigend.

Clarissa lehnte sich in ihrem Stuhl zurück und betrachtete mich abschätzend.

»Ganz der Vater. Wirklich toll. Jetzt sehe ich dich endlich einmal so, wie du bist.«

»Genau. Ganz mein Vater. Ich bin das Kind meines Vaters. Und ich bin nicht die Tochter, die du nie hattest. Und vor allem bin ich nicht du!«

Clarissa schnappte nach Luft.

Ich sprang auf, ergriff meine Taschen und verließ auf schnellstem Wege die Wohnung. Schon wieder hatte ich eine Tür hinter mir zugeschlagen. Lange konnte das nicht mehr so weitergehen. Aber ich war so verzweifelt, daß ich mir keinen anderen Rat wußte, als meinen Gefühlen freien Lauf zu lassen. Ich hatte lange genug geschwiegen. Ich wollte nicht die gleichen Fehler machen wie mein Vater, wie Clarissa. Ich wollte »Ich« sein dürfen.

Gregor war meine letzte Hoffnung. Ich rief ihn an, und er versprach zu kommen. Ich saß in einem Café und beobachtete die vorbeieilenden Leute. Ich hatte mich mit meinem Vater zerstritten, ich hatte mich mit Clarissa zerstritten, und doch – zum erstenmal seit langer Zeit fühlte ich mich mit mir im reinen. Ich hatte den Ballast abgeworfen, den ich mit mir herumgeschleppt hatte, und ich war bereit, zu neuen Ufern aufzubrechen. Ich geriet ins Träumen, erst als jemand an die Scheibe klopfte, schrak ich auf. Gregor, in dem ich immer auch den kleinen frechen Jungen sah, stand vor der Scheibe und lächelte.

Was war ich froh, ihn zu sehen – meinen Weihnachtsmann!

Er hatte sich überhaupt nicht verändert. Der Schalk blitzte in seinen Augen. Wir umarmten uns wie alte Freunde, die ein Geheimnis teilten. Wir fuhren in seine neue Wohnung, ein ausgebautes Dachgeschoß, nicht weit entfernt von Clarissas Wohnung. Die Räume waren einfach und praktisch eingerichtet, wie bei einem Junggesellen. Ich stellte meine Sachen ab, er führte mich herum.

»Du schläfst hier«, sagte er in einem Zimmer, in dem ein ausklappbares Sofa stand, »ich schlafe im Arbeitszimmer. Die Couch ist sehr bequem.«

Ich fiel rücklings auf das Bett. Mein Gott, war ich müde.

»Nächsten Monat muß ich das Manuskript abgeben«, erklärte Gregor seine Unruhe, »der Verleger wird langsam ungeduldig!«

Ich hob meine Klarinette hoch.

»Ich spiele nur, wenn du nicht da bist!«

»Du kannst spielen, wann du willst. Nach zehn Jahren mit deiner Tante kann ich bei jedem Krach schlafen.«

Da war er wieder, der Weihnachtsmann. Schalkhaft blinzelte er mich an.

»Gregor?« fragte ich ernst.

»Hmm?« machte er.

»Bereust du es, daß du ausgezogen bist?«

»Bis jetzt noch nicht. Aber es kann durchaus noch passieren ...«

»Warum bist du gegangen?«

Er stieg die Wendeltreppe hinab.

»In Clarissas Kopf ist kein Platz für mich. Da bist du und Martin und Robert ...«

»Aber die streiten sich doch immer«, erwiderte ich.

»Trotzdem – ich wünschte, sie hätte mich je so geliebt.« Er tauchte ab, nur sein Kopf war noch zu sehen. »Außerdem ernährt sie sich so verdammt gesund, das ist mir auf die Nerven gegangen. In ihrem Kühlschrank war alles grün. Ich esse nichts, was grün ist, außer Kaugummi ...«

Er lachte und verschwand.

Eine unbeschwerte Zeit begann. Niemand stellte Ansprüche an mich, Gregor akzeptierte mich so, wie ich war. Er war mir Vater, Freund und Vertrauter zugleich. Er hatte keine Ambitionen wie Tante Clarissa, eine Künstlerin aus mir zu machen. Er begleitete mich ein Stück meines Weges, und er ließ nie einen Zweifel daran, daß sich unsere Wege eines Tages auch wieder trennen würden.

Ich vertiefte mich in die Musik, während Gregor an seinem Schreibtisch saß und schrieb. Es kam vor, daß ich morgens aufstand und er gerade ins Bett ging, müde, aber zufrieden. Ich machte ihm dann einen Früchtetee und mir selber einen Kaffee. Wir kochten zusammen, und wir wuschen zusammen ab.

Oft lag ich auf dem Boden vor seiner großen Plattensammlung und hörte die wundervolle Musik der alten Meister. Manchmal begleiteten meine Hände die Musik, sie übersetzten sie in Gebärden, in Gesten. Mein Spiel auf der Klarinette veränderte sich, ebenso wie ich mich veränderte. Wir aßen zusammen Pizza und spielten Mensch-Ärgere-Dich-Nicht. Gregor pflegte mich, als ich eine scheußliche Grippe hatte, und ich räumte seine vollen Aschenbecher weg. Ich sah das Leben an uns vorbeifließen, wenn ich aus dem Fenster schaute und kleine Blumen an die feuchten Scheiben malte.

Ich wußte, was ich wollte – mein Ziel war das Konservatorium.

13. Kapitel

Unsere Idylle wurde von einem Telefonanruf unterbrochen. Zu meiner Überraschung hörte ich die Stimme meiner Schwester Marie.

»Lara! Bist du das? Hier ist Marie?«

Mein Herz tat einen Sprung. Meine kleine freche Schwester, die ich weinend zurückgelassen hatte. Ich war froh, ihre Stimme zu hören.

»Marie? Hallo! Wo bist du denn?«

»Ich bin ganz nah«, krähte sie freudig ins Telefon, »Mitten in der Stadt. Kannst du mich abholen? Ich weiß nicht, welche U-Bahn ich nehmen soll.«

Ich begriff nicht sofort. War sie mit meinem Vater nach Berlin gekommen? Ein Überraschungsbesuch?

»Bist du allein?«

»Ja!«

»Meine Güte ...«, stotterte ich. Ich malte mir bereits aus, wie sie blond und neugierig in einer Telefonzelle am Bahnhof Zoo stand, meine neunjährige Schwester. Sie war anders als ich. Ich zergrübelte mir den Kopf, fragte nach der Richtigkeit meines Tuns, suchte nach einem Sinn hinter den Dingen, war melancholisch, und sie? Sie nahm die Dinge, wie sie kamen, sie war unkompliziert und gerade heraus, schien keine Angst zu kennen und protestierte sofort, wenn ihr etwas nicht paßte. Ich beschrieb ihr die beiden steinernen Elefanten am Eingang des Zoos, damit wir uns nicht verfehlten.

Ich sah sie nicht sofort, sie hatte sich hinter einem Elefantenrüssel versteckt. Sie rief meinen Namen, und wir fielen uns um den Hals und wirbelten herum.

»Bist du völlig verrückt geworden?« fragte ich sie, schließlich war ich die große Schwester, »allein im Zug. Was willst du denn hier?«

Ich betrachtete sie. Ich war glücklich, ich hatte sie sehr vermißt, ohne es zu merken. Sie strahlte mich an, in ihrer roten Jacke und mit dem winzigen Rucksack. Ich staunte, auch sie wirkte älter.

»Ich will dich besuchen«, erklärte sie keck.

»Und dafür fährst du 500 Kilometer mit dem Zug? Ich habe doch überhaupt keine Zeit …«

Ich freute mich, aber ich mußte mir überlegen, wie es weitergehen sollte. Ich konnte sie ja schlecht sofort wieder nach Hause schicken. Wir gingen in ein Café am Kurfürstendamm, ich spendierte ihr ein großes Eis und sah sie prüfend an.

»Weiß Papa, daß du hier bist?«

Ich hatte mit jeder Antwort gerechnet.

»Nein, er weiß es nicht, ich bin abgehauen, wir haben uns gestritten, ich wollte dich sehen …«. Marie schob sich einen großen Löffel Bananeneis in den Mund und meinte mit aller Selbstverständlichkeit ihrer neun Jahre:

»Ich habe ihm einen Zettel hingelegt.«

»Einen Zettel? Und was stand da drauf?«

» … daß ich auf ein Fest gehe, nach der Schule«, – schwupps, verschwand ein neuer Löffel Eis in ihrem hungrigen Mund, »daß das Fest 500 Kilometer weit weg ist, habe ich nicht draufgeschrieben …«

Ich sah meinen Vater vor mir, wie er in die Küche kam, seinen Pullover auszog, nach Marie Ausschau hielt, schließlich den Zettel entdeckte, ihn stirnrunzelnd emporhob, ihn las, einmal, zweimal, zweifelnd aus dem Fenster sah. Dann würde er in seine Werkstatt gehen. Er wird sich Sorgen machen.

Er tat mir leid. Ich dachte an seine Einsamkeit.

»Was sagt er denn so?« fragte ich Marie vorsichtig.

»Wie?« Sie begriff nicht sofort.

»Du weißt schon … Spricht er über mich?«

Sie schüttelte sachlich den Kopf und widmete sich den Schokoladenstückchen in ihrem Eisbecher.

»Nie. Ich fand das ja auch nicht nett, was du alles gesagt hast.«

»Oh, halt die Klappe. Das mußt du mir jetzt nicht auch noch sagen.«

Ich starrte über die Brüstung hinunter auf die Spaziergänger. Marie stocherte plötzlich lustlos in ihrem Eis herum.

»Kannst du nicht bald wiederkommen, bitte?« kam es leise aus ihrem Mund. Ich sah sie an. Sie hatte Mutters Augen, groß und bittend blickten sie mich an.

»In vier Tagen ist die Prüfung …«, seufzte ich.

Marie lehnte sich zurück und betrachtete das Leben sofort wieder von der praktischen Seite.

»Und wie soll ich wieder nach Hause kommen?«

»Wieso, hast du kein Rückfahrticket?«

Sie sah mich verschmitzt an und schüttelte den Kopf.

»Mein Geld war alle. Außerdem ist jetzt bald Nacht. Und ich bin erst neun Jahre alt!«

Da saß ich nun mit meiner kleinen Schwester, die abgehauen war. Ich wußte nicht, wie ich sie zurückbefördern sollte. Ich konnte nicht böse auf sie sein, mein Kopf suchte fieberhaft nach einer Lösung. Wir gingen zu Gregor, aber er war nicht zu Hause. Das Bett sah sehr verlockend aus, und Marie fiel sofort in die Kissen. Sie mußte todmüde sein. Ich zog sie aus und streifte ihr eines meiner Hemden über, dann sank ich neben sie.

So fand uns Gregor.

Immerhin hatte ich ihm eine Notiz geschrieben. Gregor wußte, was zu tun war. Er alarmierte Clarissa und wischte ihre anfängliche Skepsis mit dem Hinweis auf eine ›Familiensache‹ beiseite.

Am nächsten Morgen war alles geklärt. Clarissa hatte sich bereit erklärt, Marie mit Gregors Wagen zurückzufahren. Gregor, der sichtlich guter Laune war, gab ihr letzte Instruktionen.

»Der Tank ist voll, das Öl ist gewechselt, und die Reifen sind geprüft. Du brauchst also nichts weiter zu tun, als geradeaus zu fahren.«

Clarissa, nüchtern, geschäftstüchtig und gutaussehend wie immer, richtete den Spiegel. Sie mied Gregors Blick, während Marie zu ihr in den Wagen stieg. Er lehnte in dem geöffneten Seitenfenster.

»Geht es dir gut?« fragte er.

»Sicher.«

»… und der fährt 220?« meldete sich Marie zu Wort.

»Fahrt bloß vorsichtig!« ermahnte sie Gregor.

»Bis morgen!« verabschiedete sich Clarissa, ihre Augen hinter einer Sonnenbrille getarnt, den Blick auf die Straße geheftet. Sie haßte es, Schwäche zu zeigen.

»Bis morgen«, Gregor klopfte zum Abschied auf das Dach, »grüßt Martin von mir.«

Der Wagen fuhr los, und Marie preßte ihre Lippen gegen die Scheibe und hauchte Gregor einen Kuß zu.

Marie erzählte mir später von ihrer Rückfahrt. Clarissa legte die 500 Kilometer Entfernung in rasender Geschwindigkeit zurück. Sie liebte es, schnell zu fahren. Es war bereits dunkel, als sie endlich ankamen. Ein leichter Landregen hüllte unseren Garten ein. Marie hatte Angst, ihrem Vater ohne Beistand gegenüberzutreten.

»Du kannst mich jetzt nicht allein da reinschicken«, flehte sie Clarissa an, »Papa reißt mich in Stücke.«

Clarissa hatte jedoch nicht die Absicht auszusteigen.

»Ich habe dich den ganzen Weg gefahren …«

»Bitte«, kam es schwach von Marie. Wahrscheinlich wurde ihr erst jetzt richtig bewußt, was für Sorgen sich Vater gemacht hatte, und sie fürchtete seine Reaktion. Clarissa aber blieb hart.

»Na, nun mach schon. Er wird froh sein, daß du wieder da bist.«

Sie lehnte sich über Marie und öffnete die Beifahrertür. Marie machte ein unglückliches Gesicht und lief zum Haus. Clarissa sah ihr nach, plötzlich bemerkte sie Martin, der an einem Fenster stand und zu ihr hinsah. Marie schaltete das Licht im Flur an und machte sich auf die Suche nach Papa. Schließlich entdeckte sie ihn am Wohnzimmerfenster, wie er sich mit jemandem in Gebärdensprache unterhielt. Sie schmiegte sich an ihn und blickte in die Dämmerung. Clarissa saß im Auto, ihre Hände bewegten sich ungeschickt und steif – doch sie sprachen zu ihrem Bruder.

›Ich habe Marie nach Hause gefahren!‹

›Danke‹, deutete mein Vater zurück.

Marie war erstaunt. Sie stieß ihren Vater an.

›Hej, seit wann kann Clarissa unsere Sprache?‹

Doch Martin hatte nur Augen für seine Schwester.

›Ist Lara noch bei dir? Geht es ihr gut?‹

›Nein, es geht ihr nicht gut. Sie vermißt dich.‹ Sie machte eine Pause. ›Komm, ich bring dich zu ihr.‹

Marie beobachtete meinen Vater. Er zögerte, so als müsse er das Ganze erst überdenken. Clarissa lud ihn erneut ein.

›Warum ist sie nicht mitgekommen?‹ wollte er wissen.

›Sie hat keine Zeit. Du mußt zu ihr kommen.‹

Das war das Richtige für Marie. Sie klatschte in die Hände und zog Martin am Ärmel.

›Auja. Wir fahren gleich wieder zurück. Alle zusammen, ja?‹ bettelte sie.

Aber mein Vater war noch nicht soweit. Ernst schüttelte er seinen Kopf.

›Nein. Das geht nicht.‹

›Hör endlich auf, dich selbst zu bedauern‹, erwiderte Clarissa energisch.

›Das muß ein Familienproblem sein‹, antwortete mein Vater lächelnd. Clarissa verstand. Sie lächelte ebenfalls und ließ den Wagen an. Sie hob zum Abschied ihre Hand. Marie stöhnte auf und schlug sich vor die Stirn.

›O Mann, Papa. Warum bist du denn nicht mitgefahren …?‹

Es fiel ihm sicher schwer, seine Freude zu unterdrücken, seine kleine Tochter heil wieder vor sich stehen zu haben. Er bemühte sich, ernst zu bleiben.

›Wenn du noch einmal abhaust, versohle ich dir den Hosenboden!‹

Aber Marie spürte, daß seine Freude den Ernst seiner Ermahnung überwog. Ihr Mund verzog sich zu einem breiten Grinsen, und sie schlang ihm ihre Arme um den Hals.

14. Kapitel

Der Tag der Wahrheit war gekommen. Ich verbrachte eine unruhige Nacht. Ich warf mich in meinem Bett herum, ich stand auf, holte mir ein Glas Wasser, zog mir die Decke über den Kopf, zählte Schafe, um wieder einzuschlafen, vergebens.

Ich sah unser Haus, die Lampen leuchteten, Mama und Papa, zärtlich miteinander im Bett, Marie im Laufstall, Tom in unserem Wohnzimmer. Ich versuchte mich zu beruhigen – ist ja alles nicht so schlimm, das haben schon viel Unbegabtere als ich geschafft. Ich habe Talent, wenn ich es nur will, kann ich es schaffen. Ich versuchte, die Aufregung herunterzuspielen. Schließlich ging es nicht um Leben und Tod.

Ich wollte Clarissa beweisen, daß ich es auch ohne ihre Hilfe schaffen konnte, und ich mußte meinem Vater beweisen, daß ich ein eigenständiger Mensch geworden war und meine eigenen Wege gehen konnte.

Insgeheim wollte ich natürlich, daß mein Vater stolz auf mich war, daß er zumindest versuchte zu verstehen, was seine Tochter bewegte.

Ich glaube, ich wachte dreimal auf in dieser Nacht. Ich schwitzte, oder besser: Alles, was mich belastete, floß aus meinem Körper. Als es dämmerte, stand ich auf. Hunger hatte ich keinen. Ich warf das Brötchen lustlos in den Korb zurück und machte mir einen Kaffee. Ich übte ein paar Noten, ein paar Griffe, trank einen Schluck Kaffee, wusch mein Gesicht, zog mich an, packte meine Klarinette ein, trank den Rest Kaffee und verließ das Haus. Immerhin nahm ich mir einen Apfel mit, den ich in der U-Bahn verzehrte. Er half mir, meine Nervosität zu lindern.

Das Konservatorium beeindruckte mich genauso wie am ersten Tag. Ich hatte schon des öfteren vor den Säulen gestanden und mir den Moment ausgemalt, in dem ich hindurchschreiten würde. Aber nun, als ich dort stand, war alles anders. Der breite Bau mit seinem vorgezogenen Portal und der langen Säulenreihe erschien mir wie das Gebiß eines Raubfisches, der träge dahinschwamm und auf seine Opfer wartet, um unvermutet zuzuschnappen.

Ich atmete tief durch und nahm den Kampf auf. Ein paar handgemalte Schilder »Aufnahmeprüfung« wiesen mir den Weg. Studenten und Studentinnen eilten geschäftig umher, manche mit kleinen schwarzen Koffern wie ich mit meinem, andere mit halben Särgen. Ich stieß eine Tür auf. Vor mir erstreckte sich ein langer Gang, gesäumt von Holzbänken. Prüflinge, künftige Auserwählte und Verlierer, Glückliche und Geknickte betrachteten mich neugierig. Ich ging an ihnen vorbei zur Anmeldung. Eine Frau in den Vierzigern sah mich unter ihrem blonden Pony hervor an.

»Welches Instrument?« fragte sie.

»Klarinette!« hörte ich mich sagen.

Sie gab mir einen Anmeldeschein und wünschte mir viel Glück. Ich setzte mich zu den anderen Aspiranten und füllte den Bogen aus. Es herrschte eine unruhige, angespannte Atmosphäre. Leise Flötenmusik drang aus einer Tür. Zwei Jungs rissen ein paar Witze, um ihre Nervosität zu überspielen, aber ihr Lachen, kurz und gepreßt, verriet sie. Wir wollten alle das gleiche, wir waren Konkurrenten. Wer von uns würde es schaffen? Das Mädchen mit den roten Haaren mir gegenüber, das ein paar Gitarrengriffe übte, der Junge mit den verträumten Augen, der sich an seinen Cellokasten lehnte, oder das Mädchen, dessen Hände über die imaginäre Tastatur eines Klaviers liefen?

Mein Name, den ein junger Mann rief, riß mich aus meinen Gedanken. Jetzt war es an mir. Ich stand auf und folgte ihm in das Prüfungszimmer. Es handelte sich um einen hohen, holzgetäfelten Raum mit einer kleinen Bühne und einem schräg abfallenden Zuschauerraum. Im Publikumsbereich befanden sich ein paar Studenten, und in der ersten Reihe saßen die Prüfer – sechs an der Zahl. Ich gab dem Mann am Klavier, der mich begleiten sollte, meine Noten. Einer der Männer aus der ersten Reihe sah zu mir auf.

»Fräulein Bischoff … Sie schreiben in ihren Unterlagen, daß Sie sich unter anderem für die traditionelle Klezmermusik interessieren? Was fasziniert Sie an dieser Musikrichtung?«

Ich packte mein Instrument aus und dachte einen Moment nach.

»Das kann ich schwer sagen«, ich suchte nach den richtigen Worten, »es ist so ein Gefühl – vielleicht weil sie so emotional ist.«

Meine Antwort schien den Professor nicht ganz zu überzeugen. Er sah mich über seine Lesebrille hinweg an. Es war ihm anzusehen, daß er mit meiner Antwort nicht viel anzufangen wußte.

»Emotional. Na ja …«

»Ich meine, sie ist in ihrem Herzen fröhlich und wild, und gleichzeitig ist sie auch traurig und nicht wirklich frei. Und diese Verbindung, die kann ich gut verstehen. Wissen Sie, was ich meine?«

Ich hatte es mir noch nie so deutlich vor Augen geführt: Lange bevor ich dem Professor die Seele der Klezmermusik zu erklären versuchte, hatte ich mich bereits danach gesehnt. Ich wollte fröhlich und wild sein, aber ich war auch traurig und nie wirklich frei. Ich hatte mich noch nicht von meinem Vater und von Clarissa befreit, und von meiner Mutter hatte ich noch nicht Abschied genommen.

Eine Frau mischte sich ein.

»Dann fangen wir doch gleich mit dem Hauptfach an, Fräulein Bischoff. Sie haben uns drei Stücke mitgebracht?«

Ich nickte und schraubte meine Klarinette zusammen.

»Wenn Sie nichts dagegen haben, fange ich mit dem zeitgenössischen Stück an.«

»Die Reihenfolge ist uns egal.« Während ich mein Instrument ansetzte, blickte ich in den Zuschauerraum, eine Tür klappte leise. Die Prüfer sahen mich erwartungsvoll an. Ein Mann trat in den Zuschauerraum. Ich erschrak; wie er da im Halbdunkel stand und seinen Kopf zu mir drehte, sah er aus wie mein Vater.

Mir blieb die Luft weg. Ich konnte es nicht glauben.

Es war mein Vater, der dort an dem Geländer entlang ging. Die Professoren starrten mich an. Jemand pochte mit einem Stift ungeduldig auf den Tisch. Mein Blick wanderte zwischen den Prüfern und meinem Vater hin und her. Martin sprach zu mir, seine Hände formten Wörter und Sätze, die nur ich verstand.

›Ich will dich spielen sehen – geht das?‹ fragte er.

»Also Fräulein Bischoff«, hörte ich aus dem Zuschauerraum, »wir warten!«

Meine Hände zitterten. Ich wußte, ich würde keinen Ton

herausbringen. Ich hatte alles vergessen. Ich schloß die Augen, um mich zu konzentrieren, aber nein, es war kein Spuk. Als ich sie wieder öffnete, war alles wie zuvor – mein Vater stand hinter dem Geländer, und die Prüfer machten einen ziemlich ungeduldigen Eindruck.

Ich würde von der Bühne gehen, ohne eine Note gespielt zu haben.

»Ist Ihnen nicht gut?« fragte die Frau. »Wollen Sie einen Schluck Wasser?«

Ich schüttelte stumm den Kopf.

»Holen Sie mal tief Luft! Und dann los. Alles halb so wild«, versuchte mich der Professor zu trösten. Doch ich war wie gelähmt. Mein Vater mußte meine Verwirrung gespürt haben. Er lächelte und deutete.

›Ganz ruhig! Laß dich nicht von mir durcheinanderbringen! Ich will dir nur die Daumen drücken!‹

Ich mußte zu ihm sprechen.

›Was soll das, Papa? Warum bist du gekommen?‹

›Ich wollte sehen, was dir so wichtig ist. Und ich will sehen, wie du spielst! Ich bin sehr gespannt!‹

Unsere Unterhaltung war nicht zu übersehen. Neugierig wandten sich die Prüfer zu meinem Vater. Sie sahen, wie er mit seinen Gesten eindringlich zu mir sprach. Ein Kommissionsmitglied meldete sich zu Wort, denn niemand verstand, was zwischen uns ablief.

»Entschuldigung, aber … Würden Sie uns vielleicht mal einweihen?«

Ich räusperte mich und schluckte zweimal. Langsam rutschte der Kloß in meinem Hals tiefer.

»Ja, das ist mein Vater. Er ist gehörlos. Er würde gerne zusehen.«

Erneut fuhren die Köpfe der Kommission herum, sie waren sichtlich neugierig geworden. Mein Vater hob freundlich und beschwichtigend seine Hände und trat einen Schritt ins Halbdunkel zurück.

»Ja, … wenn er möchte«, entschied der Professor, »ich muß Sie bitten, jetzt anzufangen. Draußen wartet noch eine Reihe anderer Studenten!«

Ich nickte und setzte mein Instrument an. Meine Finger suchten sich ihre Positionen, der Schatten meines Vaters lehnte an der Rückwand des Raumes, nur seine Hände tauchten im Licht auf.

›So ist's gut, zeig's ihnen!‹

›Bitte, Papa‹, ich nahm die Klarinette herunter, ›sag jetzt nichts mehr. Du bringst mich völlig durcheinander.‹

Ich gab dem Mann am Klavier ein Zeichen. Er begann zu spielen. Ich konzentrierte mich auf mein Instrument, auf die Töne des Klaviers, auf meinen Einsatz. Papa erzählte mir später, was er getan hatte. Er hatte seine Hände, seine großen wunderbaren Hände auf das Geländer gelegt, um so die Schwingungen aus der Luft wahrzunehmen. Er ließ mich nicht aus den Augen, er folgte meinen Bewegungen, meinen Fingern, und seine Hände versuchten über die Schwingungen Kontakt zu meiner Musik aufzunehmen. Ich machte keine Fehler, ich spielte das Stück weich und gefühlvoll. Nachdem ich geendet hatte, war es still im Saal. Die Prüfer tuschelten leise und wohlwollend miteinander. Ich aber hatte nur Augen für meinen Vater. Er löste sich aus dem Schatten.

›Das ist sie also, deine Musik?‹

›Ja, das ist meine Musik. Glaubst du, du wirst sie irgendwann verstehen?‹

›Ich kann sie nicht hören, aber ich werde versuchen, sie zu verstehen!‹

Die Mauer zwischen meinem Vater und mir war gefallen.

Ein tiefes Gefühl des Glücks und der Freiheit stieg in mir auf. Vielleicht muß man sich erst voneinander entfernen, um den Wert des anderen für das eigene Leben zu erkennen.

›Habe ich dich verloren?‹ fragte mein Vater.

Ich lächelte ihm zu.

›Ich liebe dich, seit ich auf der Welt bin. Du wirst mich niemals verlieren.‹

Papa nickte mit dem Kopf, sonst nichts.

Seine Hände lösten sich von dem Geländer, er stieg die Stufen hoch, und bevor er den Ausgang erreichte, drehte er sich ein letztes Mal um.

›Danke fürs Kommen‹, deutete ich.

Er lächelte stolz. Ich war glücklich und setzte meine Klarinette an. Ich hatte noch zwei Stücke zu spielen. Was konnte mir jetzt noch passieren?

Ende

Guillaume Musso
Wirst du da sein?
Roman
Aus dem Französischen von Claudia Puls
310 Seiten
ISBN 978-3-7466-2513-3

Zwei Herzen. Zehn Chancen. Ein Wunder

San Francisco, 2006. Mit 60 hat Elliott Cooper erreicht, wovon viele nur träumen: Er ist ein angesehener Arzt, Vater einer 20-jährigen Tochter, und die Frauen liegen dem attraktiven Mann zu Füßen. Das perfekte Glück? Nur scheinbar, denn niemals ist Elliott über den Tod der Frau hinweg gekommen, die er leidenschaftlich liebte: Ilena. Eines Tages macht er die Bekanntschaft eines alten Mannes, der ihm seinen sehnlichsten Wunsch erfüllt: die Liebe seines Lebens noch einmal wiederzusehen. Als Reisender zwischen den Zeiten begegnet Elliott dem eigenen Ich als jungem Mann, den er überzeugen will, die Weichen in seinem Leben anders zu stellen und so Ilenas frühen Tod zu verhindern. Bis ihm klar wird, dass man das Schicksal nicht ungestraft herausfordert. Guillaume Mussos ergreifender Roman erstürmte auf Anhieb die Bestsellerlisten und wird auch Ihr Herz erobern.

»**Mit zauberhafter Phantasie erzählt.**« LE FIGARO LITTÉRAIRE

Mehr von Guillaume Musso:
Weil ich dich liebe. Roman ISBN 978-3-378-00689-8

Mehr Informationen erhalten Sie unter
www.aufbau-verlag.de oder in Ihrer Buchhandlung

aufbau taschenbuch

André Salu
Ein Engel für zwei
Eine himmlische Liebesgeschichte
263 Seiten
ISBN 978-3-7466-2377-1

Ein Engel als Heiratsvermittler?

Amander ist nicht von dieser Welt, er ist ein Engel. Er will bewei-
sen, dass es die perfekte Liebe gibt. Mit statistischen Methoden
hat er das ideale Paar bereits ermittelt. Aber lässt sich so wahre
Liebe finden? Als das Experiment zu scheitern droht, hilft der
himmlische Kuppler nach – und bringt nicht nur das Leben der
Auserwählten gehörig durcheinander.
Eine rasante und urkomische Romanze mit der Garantie zum
Verlieben.

Mehr Informationen erhalten Sie unter
www.aufbau-verlag.de oder in Ihrer Buchhandlung

aufbau taschenbuch